新汉语水平考试
模拟试题集

HSK 二级

总策划：董 萃 王素梅
主 编：刘红英
副主编：金学丽 韩 筝

北京语言大学出版社
BEIJING LANGUAGE AND CULTURE
UNIVERSITY PRESS

主　编：刘红英

副主编：金学丽　韩　筝

编　者：(以姓氏笔画为序)

　　　　于婧阳　王　江　刘红英　金学丽

　　　　施　雯　程润娇　韩　筝

编 写 说 明

新汉语水平考试（HSK）是由中国国家汉办于 2009 年推出的一项国际汉语能力标准化考试，重点考查汉语为第二语言的考生在生活、学习和工作中运用汉语进行交际的能力。考试共分 6 个等级的笔试和 3 个等级的口试。

为了使考生们能够更快更好地适应新的考试模式，了解考试内容，明确考试重点，熟悉新题型，把握答题技巧，我们依据国家汉办颁布的《新汉语水平考试大纲》（HSK 一级至 HSK 六级），在认真听取有关专家的建议、充分研究样题及命题思路的基础上，编写了此套应试辅导丛书。

本套丛书根据新 HSK 的等级划分分为六册，分别是：

《新汉语水平考试模拟试题集　HSK 一级》

《新汉语水平考试模拟试题集　HSK 二级》

《新汉语水平考试模拟试题集　HSK 三级》

《新汉语水平考试模拟试题集　HSK 四级》

《新汉语水平考试模拟试题集　HSK 五级》

《新汉语水平考试模拟试题集　HSK 六级》

每级分册均由 10 套笔试模拟试题组成，试题前对该级别考试作了考试介绍，对新模式的答题方法进行了指导；试题后附有听力文本及答案，随书附有听力模拟试题的录音 MP3。

本套丛书的主要编写者均为教学经验丰富的对外汉语教师，同时又是汉语水平测试方面的研究者。所有试题在出版前均经参加过新 HSK 考试的考生们试测。各级试题语料所涉及的词汇及测试点全面覆盖大纲词汇及语法点。我们精心选取语料，合理控制难易程度，科学分配试题数量和答题时间，力求使本套丛书的模拟试题更加接近新 HSK 真题。

相信广大考生及从事考试辅导的教师们会受益于本套丛书，这也是我们的最大心愿；同时也希望使用本套书的同仁们不吝赐教，提出宝贵意见。

本套丛书各分册配套录音听力试题前的中国民乐由"女子十二乐坊"演奏，在此深表谢意。

《新汉语水平考试模拟试题集》编委会

Preface

The new HSK is a standardized test of international Chinese proficiency launched by Hanban in 2009, which mainly tests the non-native speakers' ability to communicate in Chinese in their life, study and work. There are 6 levels of written test and 3 levels of oral test.

In order to help the test takers get familiar with the mode and questions of the new test, understand its contents and focuses, as well as master the test taking strategies, we have compiled this series of test guides based on the opinions of relevant experts and our sufficient study on the sample tests.

There are 6 books in this series, corresponding to the six levels of the new HSK.

Simulated Tests of the New HSK (HSK Level I)
Simulated Tests of the New HSK (HSK Level II)
Simulated Tests of the New HSK (HSK Level III)
Simulated Tests of the New HSK (HSK Level IV)
Simulated Tests of the New HSK (HSK Level V)
Simulated Tests of the New HSK (HSK Level VI)

Each book includes 10 written tests. Before the simulated tests is the introduction to the test of the level and the directions for answering the questions of the new mode. The script of the listening section and answers can be found after the tests. An MP3 disc of the recording of the listening section is attached to the book.

All the authors and editors of this series are Chinese teachers with rich teaching experience, as well as researchers of international Chinese proficiency testing. Before publication, all of the simulated tests had been taken by examinees who have taken the new HSK. The test materials at all levels ensure a full coverage of the vocabulary and language points required by the outline of new HSK. The language materials have been carefully selected with thoughtful deliberation, the complexity of the questions has been carefully controlled, and the amount of the questions as well as the time to answer the questions have been arranged reasonably. We have done our best to make the simulated tests of this series more like the real new HSK tests.

We believe that test takers and teachers of HSK will benefit from this book. Also, we sincerely hope that colleagues using this book will render us your criticism and share your precious opinions with us.

Sincere thanks will go to Twelve Girls Band, who have performed the Chinese folk music before each listening test in the audio recordings accompanying the series.

The Compilation Committee of the Simulated Tests of the New HSK

目　录
Contents

新汉语水平考试 HSK（二级）

考 试 介 绍

考试对象　　新汉语水平考试 HSK（二级）考试主要是面向词汇量为 300 个左右的考生，这些考生可以用汉语就熟悉的日常话题进行简单而直接的交流，达到初级汉语优等水平。

考试内容及时间　　新汉语水平考试 HSK（二级）笔试分为听力和阅读两个部分，约 55 分钟，包括：

1. 听力（35 题，约 25 分钟）
2. 阅读（25 题，20 分钟）

还包括考生填写个人信息 5 分钟，最后写答题卡 5 分钟。

新汉语水平考试 HSK（二级）听力试题共四部分，35 题，前三个部分各包括 10 个题，第四部分 5 个题，每题均听两次。具体内容和要求如下：

听力		
	第一部分	听句子判断图片正误
	第二部分	听对话选择正确的图片
	第三部分	听简短对话选择正确的答案
	第四部分	听较长对话选择正确的答案

新汉语水平考试 HSK（二级）阅读试题共四部分，25 题，前三个部分各包括 5 个题，第四部分包括 10 个题。具体内容和要求如下：

阅读		
	第一部分	根据句子选择相应的图片
	第二部分	选择所给词语完成句子或对话
	第三部分	根据对所给句子的理解判断句子正误
	第四部分	根据所给句子选择句子的上下文

Introduction to the new HSK (Level Ⅱ)

Test takers

The new HSK (Level Ⅱ) is designed for learners who have acquired a vocabulary of approximately 300 Chinese characters. They can use Chinese to communicate in a simple and direct manner on familiar topics about their daily life, thus having reached a high level of proficiency in elementary Chinese.

Contents and time of the test

The new HSK (Level Ⅱ) written test consists of two sections: listening and reading. It is approximately 55-minute long, including:

    1. Listening (35 questions, about 25 minutes)

    2. Reading (25 questions, 20 minutes)

It also includes the 5 minutes for test takers to fill in their personal information and the 5 minutes in the end of the test to write the answers on the answer sheet provided.

There are four parts altogether in the listening section of the new HSK (Level Ⅱ). It is comprised of 35 questions with 10 questions for each of the first three parts and 5 questions for Part Ⅳ. Each question will be heard twice. The questions and the requirements are as follows:

Listening	Part I	Listen to the sentences and decide whether the pictures are true or false.
	Part II	Listen to the dialogues and choose the right pictures.
	Part III	Listen to the short dialogues and choose the right answers.
	Part IV	Listen to the long dialogues and choose the right answers.

There are four parts altogether in the reading section of the new HSK (Level Ⅱ). It is comprised of 25 questions with 5 questions for each of the first three parts and 10 questions for Part Ⅳ. The questions and the requirements are as follows:

Reading	Part I	Choose the corresponding pictures based on the sentences.
	Part II	Choose the right words or expressions to complete the sentences or dialogues.
	Part III	Decide whether the sentences are true or false based on your understanding.
	Part IV	Match the sentences that are closely related in meaning.

考试成绩　　新汉语水平考试 HSK（二级）听力和阅读部分满分各为 100 分，总分 200 分，120 分为合格。考试成绩长期有效。作为外国留学生进入中国院校学习的汉语能力的证明，考试成绩有效期为两年（从考试当日算起）。

Test score

The full score for each of the listening and reading sections in the new HSK (Level Ⅱ) is 100. The total score is 200 and the minimum score to pass the test is 120. The test result has a long-term validity. As a Chinese language proficiency certificate for an international student to apply for Chinese educational institutions, it is valid in two years (starting from the date of the test).

新汉语水平考试 HSK（二级）

答 题 指 南

　　新汉语水平考试 HSK（二级）听力和阅读部分的考试，在试题前都给出了示例，要求学生仿照示例完成试题。

　　新汉语水平考试 HSK（二级）试卷上的词语和句子都标注了拼音，有大量的图片题。考生在做答时应抓住图片的主要信息，找出与所听及所见词语或句子有密切关联的图片。下面以模拟试卷 1 为例进行答题说明。

听 力

　　听力部分每题都听两次，除重复试题时间外，做题时间第一、二部分大约空 7–8 秒，第三、四部分大约空 14–15 秒。

　　第一部分　共 10 个题。这部分试题是根据录音中的短句对所给图片进行正误判断。以模拟试卷 1 的听力第一部分为例，在录音中你听到：

Wǒmen　jiā yǒu　sān　kǒu　rén.
我们　家有　三　口 人。

图片上是一家三口人，所以答案是对的，应该画 √。

　　你又听到：

Wǒ　měitiān　zuò gōnggòng qìchē qù shàngbān.
我　每天　坐　公共　汽车去　上班。

图片上是一个人在骑自行车，所以是错的，应该画 ×：

Directions for answering the questions of the new HSK (Level II)

In the listening and reading sections of the new HSK (Level II), examples are given before the test questions. Test takers are asked to answer the questions following the examples.

All the words and sentences in the test paper of new HSK (Level II) are marked with *pinyin*. Pictures are used in many questions. When test takers answer the questions, they need to get the main ideas of the pictures and try to find the one relevant to the words and sentences they hear and see. Directions for answering the questions are provided as follows, taking Simulated Test 1 as the example:

Listening

In this section, each question will be heard twice. Then you will have around 7~8 seconds to answer each question in Part I and Part II, and 14~15 seconds for each question in Part III and Part IV.

Part I

There are 10 questions altogether in this part. Test takers are asked to decide whether the pictures given are right or wrong based on the short sentences they hear. For example, in Part I of the listening section of Simulated Test 1, you hear:

Wǒmen jiā yǒu sān kǒu rén.
我们 家有 三 口 人。

The picture shows there are three people in the family, so the answer is right and you should mark with √.

Then you hear:

Wǒ měitiān zuò gōnggòng qìchē qù shàngbān.
我 每天 坐 公共 汽车去 上班。

The picture shows a man on a bike, so it is wrong and you should mark with ✕.

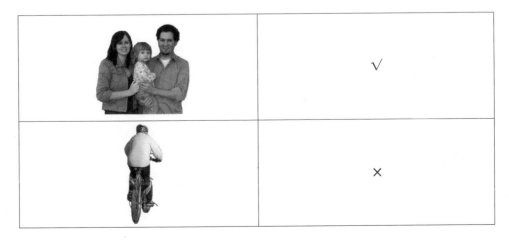

第二部分 共 10 个题。这部分试题是根据录音中的对话选出正确的图片。
例如，你听到下面的对话：

     Nǐ xǐhuan shénme yùndòng?
男：你 喜欢 什么 运动？

     Wǒ xǐhuan dǎ wǎngqiú.
女：我 喜欢 打 网球。

你看到下面的图片：

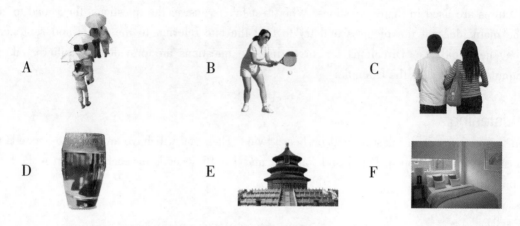

A   B   C

D   E   F

图片 B 是一个人在打网球，所以应该选择答案 B：| B |。

第三部分 共 10 个题。这部分试题是根据录音中的简短对话选择正确答案，对话一般为两到三个句子。例如，你听到下面的对话：

     Xiǎo Wáng, zhèlǐ yǒu jǐ ge bēizi, nǎge shì nǐ de?
男：小 王，这里 有 几 个 杯子，哪个 是 你 的？

     Zuǒbian nàge hóngsè de shì wǒ de.
女：左边 那个 红色 的 是 我 的。

     Xiǎo Wáng de bēizi shì shénme yánsè de?
问：小 王 的 杯子 是 什么 颜色 的？

你看到试卷上有三个选项：

  hóngsè   hēisè   báisè
A 红色   B 黑色   C 白色

在对话中我们听到了女的说 "左边那个红色的是我的"，所以在三个选项中，A 是对的：

  hóngsè   hēisè   báisè
A 红色 √   B 黑色   C 白色

Part II

There are 10 questions altogether in this part. You are asked to choose the right pictures based on the dialogues you hear. For example, you hear the following dialogue:

男：　 Nǐ xǐhuan shénme yùndòng?
　　　你　喜欢　什么　运动？

女：　 Wǒ xǐhuan dǎ wǎngqiú.
　　　我　喜欢　打　网球。

You are given the following pictures:

A　　　　　　　　　B　　　　　　　　　C

D　　　　　　　　　E　　　　　　　　　F

In picture B, a woman is playing tennis, so the correct answer is B.

Part III

There are 10 questions altogether in this part. You are asked to choose the right answers based on the short dialogues you hear. Each dialogue usually consists of 2~3 sentences. For example, you hear the following dialogue:

男：　 Xiǎo Wáng, zhèlǐ yǒu jǐ ge bēizi, nǎge shì nǐ de?
　　　小　王，这里　有　几　个　杯子，哪个　是　你　的？

女：　 Zuǒbian nàge hóngsè de shì wǒ de.
　　　左边　那个　红色　的　是　我　的。

问：　 Xiǎo Wáng de bēizi shì shénme yánsè de?
　　　小　王　的　杯子　是　什么　颜色　的？

You are given three choices in the test paper:

　　　hóngsè　　　　　　hēisè　　　　　　báisè
A　红色　　　　　　B　黑色　　　　　　C　白色

You heard the woman say "左边那个红色的是我的", so A is the right answer.

　　　hóngsè　　　　　　hēisè　　　　　　báisè
A　红色　√　　　　　B　黑色　　　　　　C　白色

第四部分　共 5 个题。这部分试题是根据录音中的较长对话选择正确答案，对话一般为 4 到 5 个句子。例如，你听到下面的对话：

Qǐng zài zhèr xiě nǐ de míngzi.
女：请 在 这儿 写 你 的 名字。

Shì zhèr ma?
男：是 这儿 吗?

Bú shì, shì zhèr.
女：不 是，是 这儿。

Hǎo, xièxie.
男：好, 谢谢。

Nán de yào xiě shénme?
问：男 的 要 写 什么?

你看到试卷上有三个选项：

　　míngzi　　　　　shíjiān　　　　　fángjiān hào
A　名字　　　　B　时间　　　　C　房间 号

在对话中我们听到了女的说"请在这儿写你的名字"，所以在三个选项中，A 是对的：

　　míngzi　　　　　shíjiān　　　　　fángjiān hào
A　名字 √　　　B　时间　　　　C　房间 号

阅 读

第一部分　共 5 个题，给出 5 个句子，要求选择相应的图片。例如，你看到下面的句子和图片：

Měi ge xīngqīliù, wǒ dōu qù dǎ lánqiú.
每 个 星期六，我 都 去 打 篮球。

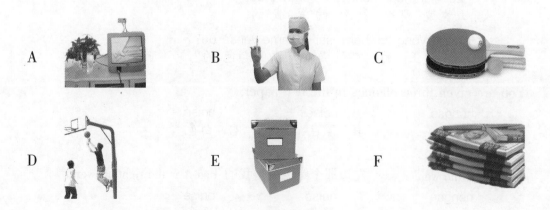

图片中 D 场景是两个人在打篮球，所以选 D: D 。

Part IV

There are 5 questions altogether in this part. You are asked to choose the right answers based on the long dialogues you hear. Each dialogue usually consists of 4~5 sentences. For example, you hear the following dialogue:

　　　　　Qǐng zài zhèr xiě nǐ de míngzi.
女：请 在 这儿 写 你 的 名字。

　　　　　Shì zhèr ma?
男：是 这儿 吗?

　　　　　Bú shì, shì zhèr.
女：不是, 是 这儿。

　　　　　Hǎo, xièxie.
男：好, 谢谢。

　　　　　Nán de yào xiě shénme?
问：男 的 要 写 什么?

You are given three choices in the test paper:

　　míngzi　　　　　　shíjiān　　　　　　fángjiān hào
A 名字　　　　　B 时间　　　　　C 房间 号

In the dialogue, the woman said "请在这儿写你的名字", so among the three choices given, choice A is the right answer.

　　míngzi　　　　　　shíjiān　　　　　　fángjiān hào
A 名字 √　　　　B 时间　　　　　C 房间 号

Reading

Part I

There are 5 questions altogether. You are given 5 sentences and are asked to choose the corresponding pictures. For example, you are given the following sentence and pictures:

　　Měi ge xīngqīliù, wǒ dōu qù dǎ lánqiú.
每 个 星期六, 我 都 去 打 篮球。

A 　　　　B 　　　　C

D 　　　　E 　　　　F

In picture D, two men are playing basketball, so D is the right answer.

第二部分 共5个题，要求选择所给词语完成句子或对话。

你看到所给的词和句子为：

xiǎng	yìsi	tóngwū	dōu	guì	yígòng
A 想	B 意思	C 同屋	D 都	E 贵	F 一共

Zhèr de yángròu hěn hǎochī, dànshì yě hěn
这儿 的 羊肉 很 好吃， 但是 也 很 （　　　）。

根据整体意思，所给词中 E "贵" 最合适，所以答案应该选 E。

第三部分 共5个题，是根据理解判断正误。先读一个句子，下面一个句子是对它的解说，要求根据上一个句子判断下一个句子表达得是否正确。例如：

Xiànzài shì diǎn fēn, tāmen yǐjīng yóule fēnzhōng le.
现在 是 11 点 30 分， 他们 已经 游了 20 分钟 了。

　　Tāmen diǎn fēn kāishǐ yóuyǒng.
★ 他们 11 点 10 分 开始 游泳。

通过计算，我们可以得出他们是11点10分开始游泳的，所以这句话是对的：（√）。再如：

Wǒ huì tiàowǔ, dàn tiào de bù zěnmeyàng.
我 会 跳舞， 但 跳 得 不 怎么样。

　　Wǒ tiào de fēicháng hǎo.
★ 我 跳 得 非常 好。

"不怎么样"是不好的意思，所以"我跳得非常好"的意思是错的：（✕）。

第四部分 共10个题，给出5个句子，要求选择与之搭配的上下文或内容有密切关联的句子。例如：

Tā hái zài jiàoshì li xuéxí.
他 还 在 教室 里 学习。

在所给句子中，E "他在哪儿呢？你看见他了吗？" 是这句话的上文，这句话是对这个问句的回答，所以答案应该选 E：⬚ E 。

需要注意的是，新 HSK 答题时先在试卷上做答，考试结束前5分钟再把答案写在答题卡上（把正确的答案 "√" 或 "✕" 以及所对应的字母 A、B、C、D 涂黑）。如：

1. [√] [✕]　　　　　6. [A] [B] [C]

Part II

There are 5 questions altogether. You are asked to choose the right words or expressions to complete the sentences or dialogues.

For example, you read the following words and a sentence:

xiǎng	yìsi	tóngwū	dōu	guì	yígòng
A 想	B 意思	C 同屋	D 都	E 贵	F 一共

Zhèr de yángròu hěn hǎochī, dànshì yě hěn
这儿的 羊肉 很 好吃， 但是 也 很 （   ）。

Choice E "贵" is the most appropriate word for this sentence, so the answer is E.

Part III

There are 5 questions altogether. You are asked to decide whether the second sentence is right or wrong based on the first sentence. For example,

Xiànzài shì   diǎn   fēn,   tāmen yǐjīng yóule   fēnzhōng le.
现在   是 11 点 30 分， 他们 已经 游了 20 分钟 了。

Tāmen   diǎn   fēn kāishǐ yóuyǒng.
★ 他们 11 点 10 分 开始 游泳。

It can be inferred that they began to swim at 11: 10, so the second sentence is right: (√).
Another example:

Wǒ huì tiàowǔ, dàn tiào de bù zěnmeyàng.
我 会 跳舞， 但 跳 得 不 怎么样。

Wǒ tiào de fēicháng hǎo.
★ 我 跳 得 非常 好。

"不怎么样" means "not very good", so the statement "我跳得非常好" is wrong: (×).

Part IV

There are 10 questions altogether. Test takers are asked to match the sentences that go together or are closely related in meaning. For example,

Tā hái zài jiàoshì li xuéxí.
他 还 在 教室 里 学习。

Among the choices given, E "他在哪儿呢? 你看见他了吗?" can be used before the above sentence, so the correct answer is E.

It is noteworthy that in the new HSK, you are asked to answer the questions on the test paper and then write the answers on the answer sheet in the last 5 minutes of the test. (Mark √, × or the corresponding A, B, C, or D using a pencil on the answer sheet provided). For example,

1. [√] [×]   6. [A] [B] [C]

新汉语水平考试
模拟试卷 >>>>

新汉语水平考试

HSK（二级）模拟试卷 *1*

注　意

一、HSK（二级）分两部分：

　　1. 听力（35 题，约 25 分钟）

　　2. 阅读（25 题，20 分钟）

二、**答案先写在试卷上，最后 5 分钟再写在答题卡上。**

三、全部考试约 55 分钟（含考生填写个人信息时间 5 分钟）。

一、听 力

第一部分

第 1–10 题

例如:		√
		×
1.		
2.		
3.		

4.		
5.		
6.		
7.		
8.		
9.		
10.		

第二部分

第 11-15 题

A

B

C

D

E

F

Nǐ xǐhuan shénme yùndòng?
例如：男：你 喜欢 什么 运动？

Wǒ xǐhuan dǎ wǎngqiú.
女：我 喜欢 打 网球。　　　　　 B

11. ☐

12. ☐

13. ☐

14. ☐

15. ☐

第 16–20 题

A

B

C

D

E

16. ☐

17. ☐

18. ☐

19. ☐

20. ☐

第三部分

第 21-30 题

Xiǎo Wáng, zhèlǐ yǒu jǐ ge bēizi, nǎge shì nǐ de?
例如：男： 小　王，这里 有 几 个 杯子，哪个 是 你 的？

Zuǒbian nàge hóngsè de shì wǒ de.
女： 左边 那个 红色 的 是 我 的。

Xiǎo Wáng de bēizi shì shénme yánsè de?
问： 小　王 的 杯子 是 什么　颜色 的？

hóngsè	hēisè	báisè
A 红色 √	B 黑色	C 白色

dǎ diànhuà	kāihuì	shàngkè
21. A 打 电话	B 开会	C 上课

yóujú	shāngdiàn	yínháng
22. A 邮局	B 商店	C 银行

zuò gōnggòng qìchē	bùxíng	qí zìxíngchē
23. A 坐 公共 汽车	B 步行	C 骑 自行车

fùxí	kàn shū	kǎoshì
24. A 复习	B 看 书	C 考试

25. A 203	B 204	C 207

diǎn fēn	diǎn	diǎn fēn
26. A 10点 10 分	B 10 点	C 9点 50分

shāngchéng	Chángchéng	shìchǎng
27. A 商城	B 长城	C 市场

tài yuǎn le	hěn xiǎo	hěn dà
28. A 太 远 了	B 很 小	C 很 大

shàngbān	huàn yīfu	mǎi chènshān
29. A 上班	B 换 衣服	C 买 衬衫

zhùyuàn le	shēngqì le	chūyuàn le
30. A 住院 了	B 生气 了	C 出院 了

第四部分

第 31-35 题

例如：

Qǐng zài zhèr xiě nǐ de míngzi.
女：请 在 这儿 写 你 的 名字。

Shì zhèr ma?
男：是 这儿 吗？

Bú shì, shì zhèr.
女：不 是，是 这儿。

Hǎo, xièxie.
男：好，谢谢。

Nán de yào xiě shénme?
问：男 的 要 写 什么？

míngzi	shíjiān	fángjiān hào
A 名字 √	B 时间	C 房间 号

31.	Zhāng lǎoshī A 张 老师	Zhāng lǎoshī de nǚ'ér B 张 老师 的 女儿	bú rènshi C 不 认识
32.	yínháng A 银行	shūdiàn B 书店	xuéxiào C 学校
33.	kàn diànyǐng A 看 电影	shuìjiào B 睡觉	chīfàn C 吃饭
34.	xiǎo hào A 小 号	zhōng hào B 中 号	dà hào C 大 号
35.	kàn shū A 看 书	qù gōngyuán B 去 公园	shàngwǎng C 上网

二、阅　读

第一部分

第 36-40 题

A

B

C

D

E

F

Měi ge xīngqīliù, wǒ dōu qù dǎ lánqiú.
例如：每 个 星期六，我 都 去 打 篮球。　　D

Tā jìnlai de shíhou, wǒ zhèngzài kàn diànshì ne.
36. 他 进来 的 时候，我 正在 看 电视 呢。

Tā xǐhuan hěn duō tǐyù yùndòng, tèbié xǐhuan dǎ pīngpāngqiú.
37. 他 喜欢 很 多 体育 运动， 特别 喜欢 打 乒乓球。

Wǒ māma shì hùshi, zài yì jiā yīyuàn gōngzuò.
38. 我 妈妈 是 护士，在 一 家 医院 工作。

Nǐ hǎo, wǒ xiǎng huàn liǎng qiān měiyuán.
39. 你好，我 想 换 两 千 美元。

Zhè liǎng ge xiāngzi hěn zhòng, wǒ bāng nǐ bān ba.
40. 这 两 个 箱子 很 重，我 帮 你 搬 吧。

第二部分

第 41-45 题

	xiǎng		yìsi		tóngwū		dōu		guì		yígòng
A	想	B	意思	C	同屋	D	都	E	贵	F	一共

例如：
Zhèr de yángròu hěn hǎochī, dànshì yě hěn
这儿 的 羊肉 很 好吃，但是 也 很 （ E ）。

Hànyǔ hěn nán, búguò hěn yǒu
41. 汉语 很 难，不过 很 有 （   ）。

Yì jīn píngguǒ hé yì jīn júzi, qī kuài.
42. 一 斤 苹果 和 一 斤 橘子，（   ） 七 块。

Wǒmen gōngsī de zhíyuán bù shì Zhōngguó rén.
43. 我们 公司 的 职员 不 （   ） 是 中国 人。

Wǒ de shì Měiguó rén, tā xǐhuan tīng yīnyuè.
44. 我 的 （   ） 是 美国 人，他 喜欢 听 音乐。

Nǐ yào mǎi shénme shū?
45. A：你 要 买 什么 书？

Wǒ mǎi yì běn《Hàn-Yīng Cídiǎn》.
   B：我 （   ） 买 一 本 《汉英 词典》。

第三部分

第 46-50 题

例如：
Xiànzài shì diǎn fēn, tāmen yǐjīng yóule fēnzhōng le.
现在 是 11 点 30 分， 他们 已经 游了 20 分钟 了。

Tāmen diǎn fēn kāishǐ yóuyǒng.
★ 他们 11 点 10 分 开始 游泳。 (√)

Wǒ huì tiàowǔ, dàn tiào de bù zěnmeyàng.
我 会 跳舞， 但 跳 得 不 怎么样。

Wǒ tiào de fēicháng hǎo.
★ 我 跳 得 非常 好。 (×)

46.
Wǒmen de dàxué yòu dà yòu piàoliang, jiùshì lí wǒ zhù de dìfang yǒudiǎnr
我们 的 大学 又 大 又 漂亮， 就是 离 我 住 的 地方 有点儿
yuǎn, wǒ měitiān zuò chē yào fēnzhōng.
远， 我 每天 坐 车 要 30 分钟。

Cóng wǒ zhù de dìfang dào xuéxiào zuò chē yào fēnzhōng.
★ 从 我 住 的 地方 到 学校 坐 车 要 30 分钟。 ( )

47.
Wǒ bàba zài yì jiā yīyuàn gōngzuò, tā měitiān dōu yǒu hěn duō bìngrén,
我 爸爸 在 一 家 医院 工作， 他 每天 都 有 很 多 病人，
gōngzuò hěn máng.
工作 很 忙。

Wǒ bàba shì dàifu.
★ 我 爸爸 是 大夫。 ( )

48.
Wǒ jiào Zhāng Liàng, jīnnián suì, dàxué bìyè yǐjīng liǎng nián le.
我 叫 张 亮， 今年 25 岁， 大学 毕业 已经 两 年 了。

Zhāng Liàng suì dàxué bìyè.
★ 张 亮 25 岁 大学 毕业。 ( )

Mǐfàn、miàntiáo wǒ dōu bù xiǎng chī, wǒmen chī jiǎozi ba.

49. 米饭、面条 我 都 不 想 吃，我们 吃 饺子 吧。

   Wǒ bù xiǎng chī jiǎozi.
   ★ 我 不 想 吃 饺子。   （   ）

   Wǒ zhīdào Wáng lǎoshī jiā de diànhuà hàomǎ, bù zhīdào tā de shǒujī hàomǎ,
50. 我 知道 王 老师 家 的 电话 号码，不 知道 她 的 手机 号码，
   nǐ néng gàosu wǒ ma?
   你 能 告诉我 吗?

   Wǒ xiǎng zhīdào Wáng lǎoshī jiā de diànhuà hàomǎ.
   ★ 我 想 知道 王 老师 家 的 电话 号码。   （   ）

第四部分

第 51–55 题

A　Wǒ péngyou jīntiān xiàwǔ lái Běijīng.
　　我　朋友　今天　下午　来 北京。

B　Wǒ qǐchuáng wǎn le.
　　我　起床　晚 了。

C　Xǐhuan jiù shìshi ba.
　　喜欢　就 试试　吧。

D　Jīntiān shì zhōumò.
　　今天　是　周末。

E　Tā zài nǎr ne? Nǐ kànjiàn tā le ma?
　　他 在 哪儿 呢? 你 看见 他 了 吗?

F　Míngtiān gōngsī pài wǒ qù Xiānggǎng.
　　明天　公司　派 我 去　香港。

例如：　Tā hái zài jiàoshì li xuéxí.
　　　　他 还 在 教室 里 学习。　　　　　E

51.　Wǒ qù jīchǎng jiē tā.
　　　我 去 机场 接他。　　　　□

52.　Wǒmen yìqǐ qù guàngguang jiē ba.
　　　我们 一起 去　逛逛　街 吧。　　　　□

53.　Nǐ jīntiān zěnme dǎchē lái xuéxiào le?
　　　你 今天　怎么 打车 来 学校 了?　　　　□

54.　Nǐ shénme shíhou huí Běijīng?
　　　你 什么　时候 回 北京?　　　　□

55.　Zhè jiàn yīfu yánsè hé yàngzi dōu búcuò.
　　　这 件 衣服 颜色 和 样子 都 不错。　　　　□

第 56-60 题

A
Tiānqì zhēn rè! Kěsǐ wǒ le!
天气 真 热! 渴死 我 了!

B
Wǒ zhù de dìfang lí xuéxiào bù yuǎn.
我 住 的 地方 离 学校 不 远。

C
Zhè jiàn yīfu èrbǎibā? Tài guì le, piányi yìdiǎnr ba.
这 件 衣服 二百八? 太 贵 了, 便宜 一点儿 吧。

D
Wǒ de sùshè bú tài ānjìng.
我 的 宿舍 不 太 安静。

E
Wǒ qù chāoshì mǎi dōngxi.
我 去 超市 买 东西。

56.
Zhè yǐjīng shì dǎ bā zhé le.
这 已经 是 打 八 折 了。 ☐

57.
Xiàwǔ méiyǒu kè de shíhou, wǒ chángcháng qù túshūguǎn xuéxí.
下午 没有 课 的 时候, 我 常常 去 图书馆 学习。 ☐

58.
Nǐ shùnbiàn bāng wǒ mǎi liǎng dài niúnǎi, hǎo ma?
你 顺便 帮 我 买 两 袋 牛奶, 好 吗? ☐

59.
Wǒ měitiān zǒuzhe qù xuéxiào.
我 每天 走着 去 学校。 ☐

60.
Nǐ hē diǎnr kělè háishi xuěbì?
你 喝 点儿 可乐 还是 雪碧? ☐

新汉语水平考试

HSK（二级）模拟试卷 *2*

注　意

一、HSK（二级）分两部分：

    1. 听力（35 题，约 25 分钟）

    2. 阅读（25 题，20 分钟）

二、**答案先写在试卷上，最后 5 分钟再写在答题卡上。**

三、全部考试约 55 分钟（含考生填写个人信息时间 5 分钟）。

一、听 力

第一部分

第 1–10 题

例如:		√
		×
1.		
2.		
3.		

4.		
5.		
6.		
7.		
8.		
9.		
10.		

第二部分

第 11-15 题

A

B

C

D

E

F

例如：
男：
Nǐ xǐhuan shénme yùndòng?
你 喜欢 什么 运动?

女：
Wǒ xǐhuan dǎ wǎngqiú.
我 喜欢 打 网球。

          F

11. ☐

12. ☐

13. ☐

14. ☐

15. ☐

第 16–20 题

A

B

C

D

E

16. ☐

17. ☐

18. ☐

19. ☐

20. ☐

第三部分

第 21-30 题

Xiǎo Wáng, zhèlǐ yǒu jǐ ge bēizi, nǎge shì nǐ de?
例如：男： 小 王， 这里 有 几 个 杯子， 哪个 是 你 的？

Zuǒbian nàge hóngsè de shì wǒ de.
女： 左边 那个 红色 的 是 我 的。

Xiǎo Wáng de bēizi shì shénme yánsè de?
问： 小 王 的 杯子 是 什么 颜色 的？

hóngsè	hēisè	báisè
A 红色 √	B 黑色	C 白色

21.	A 一月 (yī yuè)	B 七月 (qī yuè)	C 三月 (sān yuè)
22.	A 天气 预报 (tiānqì yùbào)	B 电影 (diànyǐng)	C 话剧 (huàjù)
23.	A 游泳 (yóuyǒng)	B 散步 (sànbù)	C 跑步 (pǎobù)
24.	A 很 不好 (hěn bù hǎo)	B 一般 (yìbān)	C 很 好 (hěn hǎo)
25.	A 哲学 (zhéxué)	B 文学 (wénxué)	C 医学 (yīxué)
26.	A 北京 (Běijīng)	B 深圳 (Shēnzhèn)	C 沈阳 (Shěnyáng)
27.	A 60 岁 (suì)	B 61 岁 (suì)	C 67 岁 (suì)
28.	A 八 点 (bā diǎn)	B 八 点 半 (bā diǎn bàn)	C 七 点 半 (qī diǎn bàn)
29.	A 颜色 (yánsè)	B 价格 (jiàgé)	C 样子 (yàngzi)
30.	A 图书馆 (túshūguǎn)	B 宿舍 (sùshè)	C 医院 (yīyuàn)

第四部分

第 31-35 题

例如：

女：
Qǐng zài zhèr xiě nǐ de míngzi.
请 在 这儿 写 你 的 名字。

男：
Shì zhèr ma?
是 这儿 吗？

女：
Bú shì, shì zhèr.
不 是，是 这儿。

男：
Hǎo, xièxie.
好，谢谢。

问：
Nán de yào xiě shénme?
男 的 要 写 什么？

A
míngzi
名字 √

B
shíjiān
时间

C
fángjiān hào
房间 号

31.
A
yuán
200 元

B
yuán
120 元

C
yuán
180 元

32.
A
kǎoyā
烤鸭

B
jiǎozi
饺子

C
biéde
别的

33.
A
jiàoshì
教室

B
shuōhuà de dìfang
说话 的 地方

C
sùshè
宿舍

34.
A
Hànyǔ shū
汉语 书

B
shūbāo
书包

C
qiánbāo
钱包

35.
A
yǎnchū hěn hǎo
演出 很 好

B
xiǎng qù mǎi piào
想 去 买 票

C
qǐng nǚ de yìqǐ qù kàn yǎnchū
请 女 的 一起 去 看 演出

二、阅 读

第一部分

第 36-40 题

A

B

C

D

E

F

Měi ge xīngqīliù, wǒ dōu qù dǎ lánqiú.
例如：每 个 星期六，我 都 去 打 篮球。 ☐ A

Nǐ de zìxíngchē shì xīn de háishi jiù de?
36. 你的 自行车 是 新 的 还是 旧 的？ ☐

Wǒ de gēge dàxué bìyè le, tā shì yì jiā gōngsī de zhíyuán.
37. 我 的 哥哥 大学 毕业 了，他 是 一 家 公司 的 职员。 ☐

Wǎnshang zánmen yìqǐ qù kàn zhǎnlǎn, hǎo ma?
38. 晚上 咱们 一起 去 看 展览，好 吗？ ☐

Wǒ chūlai de shíhou, tā hái zài fángjiān li shuìjiào ne.
39. 我 出来 的 时候，她 还 在 房间 里 睡觉 呢。 ☐

Chīwán wǎnfàn yǐhòu, wǒ chángcháng gēn péngyou yìqǐ sànbù.
40. 吃完 晚饭 以后，我 常常 跟 朋友 一起 散步。 ☐

第二部分

第 41-45 题

    A 新（xīn）   B 颜色（yánsè）   C 贵（guì）   D 取（qǔ）   E 邮票（yóupiào）   F 职员（zhíyuán）

Zhèr de yángròu hěn hǎochī, dànshì yě hěn

例如：这儿 的 羊肉 很 好吃, 但是 也 很 （ C ）。

Míngtiān wǒ xiǎng qù yínháng   qián.

41. 明天 我 想 去 银行 （　　）钱。

Wǒ gēge shì yì jiā gōngsī de

42. 我 哥哥 是 一家 公司 的 （　　）。

Nǐ de shǒujī shì shénme   de?

43. 你 的 手机 是 什么（　　）的？

Wǒ gěi nǐmen jièshào yí xià, zhè shì wǒmen bān de   tóngxué.

44. 我 给 你们 介绍 一 下, 这 是 我们 班 的 （　　）同学。

Nín mǎi shénme?

45. 服务员：您 买 什么？

Wǒ mǎi yí tào

顾 客：我 买 一 套 （　　）。

第三部分

第 46-50 题

例如：
Xiànzài shì diǎn fēn, tāmen yǐjīng yóule fēnzhōng le.
现在 是 11 点 30 分，他们 已经 游了 20 分钟 了。

Tāmen diǎn fēn kāishǐ yóuyǒng.
★ 他们 11 点 10 分 开始 游泳。 (√)

Wǒ huì tiàowǔ, dàn tiào de bù zěnmeyàng.
我 会 跳舞， 但 跳 得 不 怎么样。

Wǒ tiào de fēicháng hǎo.
★ 我 跳 得 非常 好。 (×)

Wǒ xiān qù shítáng chīfàn, xiàwǔ zài qù túshūguǎn.
46. 我 先 去 食堂 吃饭，下午 再 去 图书馆。

Wǒ xiànzài qù túshūguǎn.
★ 我 现在 去 图书馆。 ( )

Rén tài duō le, háishi bié děng gōnggòng qìchē le, wǒmen zuò chūzūchē qù ba.
47. 人 太 多 了，还是 别 等 公共 汽车了，我们 坐 出租车 去 吧。

Wǒmen xiǎng yào dǎdī qù.
★ 我们 想 要 打的 去。 ( )

Tā jiào Tián Fāng, wǒ gēn tā yìqǐ xuéxí. Wǒ jiāo tā Yīngyǔ, tā jiāo wǒ Hànyǔ.
48. 她 叫 田 芳，我 跟 她 一起 学习。我 教 她 英语，她 教 我 汉语。

Tián Fāng gēn wǒ hùxiāng xuéxí.
★ 田 芳 跟 我 互相 学习。 ( )

Wǒ jiā yǒu sì kǒu rén, yì rén yí liàng zìxíngchē.
49. 我 家 有 四 口 人，一 人 一 辆 自行车。

Wǒ jiā yǒu sì liàng zìxíngchē.
★ 我 家 有 四 辆 自行车。 ( )

Zhè yīfu   yǒu hóngsè de、hēisè de hé huángsè de，jiùshì méiyǒu wǒ xǐhuan
50. 这 衣服 有 红色 的、黑色的和 黄色 的，就是 没有 我 喜欢

de lánsè de.
的 蓝色 的。

Wǒ xiǎng mǎi lánsè de yīfu.
★ 我 想 买 蓝色的衣服。   （   ）

第四部分

第 51-55 题

A
Míngtiān shì Shèngdàn Jié.
明天　是　　圣诞 节。

B
Túshūguǎn yǒu hěn duō shū hé zázhì.
图书馆 有 很 多 书 和 杂志。

C
Wǒmen zuò chē qù huòzhě qí chē qù.
我们　坐 车 去 或者 骑 车 去。

D
Tā zài nǎr ne? Nǐ kànjiàn tā le ma?
他 在 哪儿 呢? 你 看见 他 了 吗?

E
Míngtiān xuéxiào zǔzhī liúxuéshēng qù pá shān.
明天　学校 组织 留学生　去 爬 山。

F
Wǒ māma míngtiān dào Běijīng.
我 妈妈　明天　到 北京。

Tā hái zài jiàoshì li xuéxí.
例如： 他 还 在　教室 里 学习。 | D |

51.
Xiàwǔ méiyǒu kè de shíhou, wǒ cháng qù túshūguǎn.
下午 没有 课 的 时候, 我　常　去 图书馆。 | |

52.
Nǐmen zěnme qù?
你们　怎么 去? | |

53.
Nǐmen dǎsuàn zěnme guò?
你们　打算　怎么 过? | |

54.
Wǒ xiǎng hòutiān péi tā yìqǐ qù Chángchéng.
我 想　后天　陪 她 一起 去　长城。 | |

55.
Tài hǎo le! Lǎoshī, nín qù ma?
太 好 了! 老师, 您 去 吗? | |

第 56-60 题

A　Kuài diǎnr! Kuài diǎnr!
　　快 点儿! 快 点儿!

B　Nǐ yào qù chāoshì? Wǒ yě xiǎng mǎi yìxiē rìyòngpǐn, wǒ gēn nǐ yìqǐ qù ba.
　　你 要 去 超市? 我 也 想 买 一些 日用品, 我 跟 你 一起 去 吧。

C　Wǒ jīnnián suì.
　　我 今年 21 岁。

D　Nǐ yǒu shénme àihào?
　　你 有 什么 爱好?

E　Xuéxiào lǐbian yǒu yóujú ma?
　　学校 里边 有 邮局 吗?

56.　Wǒ zhèng xiǎng zhǎo rén gēn wǒ yìqǐ qù ne.
　　我 正 想 找 人 跟 我 一起 去 呢。 □

57.　Wǒ xǐhuan kàn jīngjù, hái xiǎng xué chàng jīngjù, dǎsuàn qǐng yí wèi lǎoshī
　　我 喜欢 看 京剧,还 想 学 唱 京剧,打算 请 一 位 老师
　　jiāo wǒ.
　　教 我。 □

58.　Děng wǒ yíhuìr, wǒ mǎshàng jiù lái.
　　等 我 一会儿,我 马上 就 来。 □

59.　Yǒu, zài túshūguǎn dōngbian.
　　有, 在 图书馆 东边。 □

60.　Nǐ nián chūshēng, shǔ shé de, duì ba?
　　你 1989 年 出生, 属 蛇 的, 对 吧? □

新汉语水平考试

HSK（二级）模拟试卷 *3*

注　意

一、HSK（二级）分两部分：

　　1. 听力（35 题，约 25 分钟）

　　2. 阅读（25 题，20 分钟）

二、**答案先写在试卷上，最后 5 分钟再写在答题卡上。**

三、全部考试约 55 分钟（含考生填写个人信息时间 5 分钟）。

一、听 力

第一部分

第 1–10 题

例如：		√
		×
1.		
2.		
3.		

4.			
5.			
6.			
7.			
8.			
9.			
10.			

第二部分

A

B

C

D

E

F

Nǐ xǐhuan shénme yùndòng?
例如：男：你 喜欢 什么 运动?

Wǒ xǐhuan dǎ wǎngqiú.
女：我 喜欢 打 网球。

| A |

11.

12.

13.

14.

15.

第 16–20 题

A

B

C

D

E

16. ☐

17. ☐

18. ☐

19. ☐

20. ☐

第三部分

第 21-30 题

例如：
男：
Xiǎo Wáng, zhèlǐ yǒu jǐ ge bēizi, nǎge shì nǐ de?
小 王，这里 有几个杯子，哪个是你的？

女：
Zuǒbian nàge hóngsè de shì wǒ de.
左边 那个 红色 的 是 我 的。

问：
Xiǎo Wáng de bēizi shì shénme yánsè de?
小 王 的 杯子 是 什么 颜色 的？

	hóngsè		hēisè		báisè
A	红色 √	B	黑色	C	白色

	chuāncài		yuècài		xiāngcài
21. A	川菜	B	粤菜	C	湘菜

	yǒu fēng		xià yǔ		qíng
22. A	有 风	B	下 雨	C	晴

	suì		suì		suì
23. A	20 岁	B	23 岁	C	17 岁

	yǔfǎ		tīnglì		kǒuyǔ
24. A	语法	B	听力	C	口语

	jiàoshì		túshūguǎn		shūdiàn
25. A	教室	B	图书馆	C	书店

	yìqǐ qù		bú qù le		méi shíjiān
26. A	一起 去	B	不 去 了	C	没 时间

	sànbù		chīfàn		xiūxi
27. A	散步	B	吃饭	C	休息

28.
Zhāng xiānsheng de qīzi
A 张 先生 的妻子

Zhāng xiānsheng de nǚ'ér
B 张 先生 的女儿

Zhāng xiānsheng de lǎoshī
C 张 先生 的老师

	kěyǐ jiè		bú néng jiè		wèn péngyou
29. A	可以 借	B	不 能 借	C	问 朋友

	yí ge		liǎng ge		hěn duō
30. A	一个	B	两 个	C	很 多

第四部分

第31-35题

Qǐng zài zhèr xiě nǐ de míngzi.
例如：女：请 在 这儿 写 你 的 名字。

Shì zhèr ma?
男：是 这儿 吗?

Bú shì, shì zhèr.
女：不 是， 是 这儿。

Hǎo, xièxie.
男：好， 谢谢。

Nán de yào xiě shénme?
问：男 的 要 写 什么?

míngzi	shíjiān	fángjiān hào
A 名字 √	B 时间	C 房间 号

	yǒu		bù zhīdào		méiyǒu
31.	A 有	B	不 知道	C	没有
	bǎ		bǎ		bǎ
32.	A 15 把	B	25 把	C	30 把
	Hā'ěrbīn		Hǎinán		Yúnnán
33.	A 哈尔滨	B	海南	C	云南
	gōngzuò		gōngsī		fángzi
34.	A 工作	B	公司	C	房子
	tīngdǒng le		yìqǐ qù wèn lǎoshī		shuō de tài màn
35.	A 听懂 了	B	一起 去 问 老师	C	说 得 太 慢

二、阅 读

第一部分

第 36-40 题

A

B

C

D

E

F

Měi ge xīngqīliù, wǒ dōu qù dǎ lánqiú.

例如：每 个 星期六，我 都 去 打 篮球。   **C**

Shàngkè de shíhou, wǒ chángcháng huídá lǎoshī de wèntí.

36. 上课 的 时候，我 常常 回答 老师 的 问题。

Wǒ qù zhǎo Mǎlì de shíhou, tā zhèngzài xiě Hànzì ne.

37. 我 去找 玛丽的 时候，她 正在 写 汉字 呢。

Xiàkè yǐhòu wǒ xiǎng qù yínháng qǔ qián.

38. 下课 以后 我 想 去 银行 取 钱。

Fúwùyuán: "Huānyíng guānglín! Qǐngwèn, nín jǐ wèi?"

39. 服务员： "欢迎 光临！ 请问，您 几 位?"

Jiè wǒ yòng yí xià nǐ de cídiǎn, hǎo ma?

40. 借我 用 一 下 你 的 词典，好 吗?

第二部分

第 41-45 题

	xiànzài		kuàizi		zěnmeyàng		wǎn		huānyíng		guì
A	现在	B	筷子	C	怎么样	D	碗	E	欢迎	F	贵

Zhèr de yángròu hěn hǎochī, dànshì yě hěn

例如：这儿 的 羊肉 很 好吃，但是 也 很 （ F ）。

Wǒ yàole yì　　　　　jīdàntāng, nǐ yě hē diǎnr ba.

41. 我 要了一 （　　） 鸡蛋汤，你 也 喝 点儿 吧。

Lái Zhōngguó hòu, wǒ kāishǐ xuéxí yòng　　　　chīfàn.

42. 来 中国 后，我 开始 学习 用 （　　） 吃饭。

nín lái wǒmen xuéxiào cānguān.

43. （　　）您来 我们 学校 参观。

Wǒ　　　　qù túshūguǎn, nǐ gēn wǒ yìqǐ qù, hǎo ma?

44. 我 （　　）去 图书馆，你 跟 我 一起 去，好 吗？

Míngtiān de tiānqì

45. A： 明天 的 天气 （　　　）？

Tīngshuō míngtiān yǒu yǔ.

B： 听说 明天 有 雨。

第三部分

第46-50题

例如：
Xiànzài shì diǎn fēn, tāmen yǐjīng yóule fēnzhōng le.
现在 是11点30分，他们 已经 游了20 分钟 了。

Tāmen diǎn fēn kāishǐ yóuyǒng.
★ 他们 11 点 10 分 开始 游泳。 　　　　　　（ √ ）

Wǒ huì tiàowǔ, dàn tiào de bù zěnmeyàng.
我 会 跳舞，但 跳 得 不 怎么样。

Wǒ tiào de fēicháng hǎo.
★ 我 跳 得 非常 好。 　　　　　　（ × ）

46.
Wǒ zǎoshang bù hē kāfēi, yǒu niúnǎi ma?
我 早上 不喝咖啡，有 牛奶 吗？

Wǒ xiǎng hē niúnǎi.
★ 我 想 喝 牛奶。 　　　　　　（ 　 ）

47.
Xiànzài chà wǔ fēn bā diǎn, hái yǒu èrshíwǔ fēnzhōng jiù yào shàngkè le.
现在 差 五分八点，还 有 二十五 分钟 就要 上课 了。

Bā diǎn èrshíwǔ kāishǐ shàngkè.
★ 八点 二十五 开始 上课。 　　　　　　（ 　 ）

48.
Lóu qián tíngzhe liǎng liàng zìxíngchē. Nà liàng xīn de shì Zhāng Dōng de,
楼 前 停着 两 辆 自行车。那辆 新 的是 张 东 的，
pángbiān de nà liàng shì wǒ de.
旁边 的那辆 是我的。

Wǒ de zìxíngchē shì jiù de.
★ 我的 自行车 是旧的。 　　　　　　（ 　 ）

49. Wǒ yǒu yí ge gēge、 yí ge jiějie, wǒ méiyǒu dìdi hé mèimei.

我 有 一 个 哥哥、 一 个 姐姐，我 没有 弟弟 和 妹妹。

Wǒ jiā yǒu sì ge háizi.

★ 我 家 有 四 个 孩子。 （　　）

50. Měi ge zhōumò wǒ dōu qù chāoshì mǎi dōngxi. Jīntiān nǐ hé wǒ yìqǐ qù,

每 个 周末 我 都 去 超市 买 东西。今天 你 和 我 一起 去，

hǎo ma?

好 吗？

Jīntiān shì zhōumò.

★ 今天 是 周末。 （　　）

第四部分

第 51-55 题

A
Tā zài nǎr ne? Nǐ kànjiàn tā le ma?
他 在 哪儿 呢? 你 看见 他 了 吗?

B
Míngtiān zǎoshang qī diǎn wǒmen zài lóu qián jíhé.
明天 早上 七点 我们 在 楼 前 集合。

C
Qǐngwèn, qù yínháng zěnme zǒu?
请问, 去 银行 怎么 走?

D
Míngtiān shì tā de shēngrì.
明天 是 她 的 生日。

E
Tā shēngbìng le, ràng wǒ gěi tā qǐng ge jià.
她 生病 了, 让 我 给 她 请 个 假。

F
Lǎoshī ràng wǒmen tántan zìjǐ de àihào.
老师 让 我们 谈谈 自己 的 爱好。

例如:
Tā hái zài jiàoshì li xuéxí.
他 还 在 教室 里 学习。
[A]

51.
Wǒmen gěi tā kāi ge wǎnhuì ba.
我们 给 她 开 个 晚会 吧。
[ ]

52.
Mǎlì jīntiān méi lái shàngkè.
玛丽 今天 没 来 上课。
[ ]

53.
Cóng zhèr yìzhí wǎng dōng zǒu, dào shízì lùkǒu xiàng yòu guǎi.
从 这儿 一直 往 东 走, 到 十字 路口 向 右 拐。
[ ]

54.
Wǒ duì Zhōngguó chuántǒng wénhuà hěn gǎn xìngqù, bǐrú shūfǎ hé jīngjù.
我 对 中国 传统 文化 很 感 兴趣, 比如 书法 和 京剧。
[ ]

55.
Qī diǎn yí kè chūfā, qǐng dàjiā búyào chídào.
七点 一刻 出发, 请 大家 不要 迟到。
[ ]

第 56-60 题

A
Zhāng Liàng shì wǒ de Zhōngguó péngyou.
张 亮 是 我 的 中国 朋友。

B
Xiàwǔ nǐ yǒu shíjiān ma? Néng bu néng gēn wǒ yìqǐ qù shūdiàn?
下午 你 有 时间 吗? 能 不 能 跟 我 一起 去 书店?

C
Nǐ huì dǎ tàijíquán ma?
你 会 打 太极拳 吗?

D
Wǒ lái Zhōngguó xuéle sān nián Hànyǔ le.
我 来 中国 学了 三 年 汉语 了。

E
Wǎnshang nǐ jīngcháng zuò shénme?
晚上 你 经常 做 什么?

56.
Xiànzài wǒ kěyǐ kàn Zhōngwén bàozhǐ le.
现在 我 可以 看 中文 报纸 了。

57.
Wǒmen yìqǐ hùxiāng xuéxí.
我们 一起 互相 学习。

58.
Duìbuqǐ, wǒ de yí ge péngyou yào lái kàn wǒ.
对不起, 我 的 一个 朋友 要 来 看 我。

59.
Wǒ yùxí shēngcí huòzhě fùxí kèwén, yǒushíhou tīngting yīnyuè huòzhě gēn
我 预习 生词 或者 复习 课文, 有时候 听听 音乐 或者 跟
péngyou liáoliao tiānr.
朋友 聊聊 天儿。

60.
Wǒ bú huì. Wǒ zhèng xiǎng qǐng yí ge lǎoshī jiāo wǒ ne.
我 不会。 我 正 想 请 一个 老师 教 我 呢。

新汉语水平考试

HSK（二级）模拟试卷 4

注　意

一、HSK（二级）分两部分：

　　1. 听力（35 题，约 25 分钟）

　　2. 阅读（25 题，20 分钟）

二、**答案先写在试卷上，最后 5 分钟再写在答题卡上。**

三、全部考试约 55 分钟（含考生填写个人信息时间 5 分钟）。

一、听 力

第一部分

第 1–10 题

例如：		√
		×
1.		
2.		
3.		

4.			
5.			
6.			
7.			
8.			
9.			
10.			

第二部分

第 11-15 题

A

B

C

D

E

F

Nǐ xǐhuan shénme yùndòng?
例如：男：你 喜欢 什么 运动？

Wǒ xǐhuan dǎ wǎngqiú.
女：我 喜欢 打 网球。 | E |

11. ☐

12. ☐

13. ☐

14. ☐

15. ☐

第 16-20 题

A

B

C

D

E

16. ☐

17. ☐

18. ☐

19. ☐

20. ☐

第三部分

第 21-30 题

Xiǎo Wáng, zhèlǐ yǒu jǐ ge bēizi, nǎge shì nǐ de?

例如：男： 小 王， 这里 有 几 个 杯子， 哪个 是 你 的？

Zuǒbian nàge hóngsè de shì wǒ de.

女： 左边 那个 红色 的 是 我 的。

Xiǎo Wáng de bēizi shì shénme yánsè de?

问： 小 王 的 杯子 是 什么 颜色 的？

hóngsè	hēisè	báisè
A 红色 √	B 黑色	C 白色

kāfēi	chá	báikāishuǐ
21. A 咖啡	B 茶	C 白开水
bówùguǎn	túshūguǎn	shūdiàn
22. A 博物馆	B 图书馆	C 书店
shuìjiào	kàn diànshì	shàngwǎng
23. A 睡觉	B 看 电视	C 上网
kāihuì qù le	lǚyóu qù le	bù xiǎng lái
24. A 开会 去 了	B 旅游 去 了	C 不 想 来
suì	suì	suì
25. A 1 岁	B 10 岁	C 7 岁
diǎn	diǎn fēn	diǎn fēn
26. A 9 点	B 9 点 10 分	C 9 点 20 分
bú huì shuō	bú huì xiě	bú huì dú
27. A 不 会 说	B 不 会 写	C 不 会 读
chúfáng	jiàoshì	fàndiàn
28. A 厨房	B 教室	C 饭店
hěn gāo	hěn piàoliang	hěn niánqīng
29. A 很 高	B 很 漂亮	C 很 年轻
yínháng	shāngdiàn	yóujú
30. A 银行	B 商店	C 邮局

第四部分

Qǐng zài zhèr xiě nǐ de míngzi.
例如：女：请 在 这儿 写 你 的 名字。

Shì zhèr ma?
男：是 这儿 吗?

Bú shì, shì zhèr.
女：不 是，是 这儿。

Hǎo, xièxie.
男：好，谢谢。

Nán de yào xiě shénme?
问：男 的 要 写 什么?

míngzi	shíjiān	fángjiān hào
A 名字 √	B 时间	C 房间 号

	mǎi jīdàn	rēng jīdàn	huíjiā
31.	A 买 鸡蛋	B 扔 鸡蛋	C 回家

	huàn gōngzuò le	shàngbān le	bānjiā le
32.	A 换 工作 了	B 上班 了	C 搬家 了

	nián	nián	nián
33.	A 3 年	B 4 年	C 10 年

	jiāo jīngjù	kàn jīngjù	xué jīngjù
34.	A 教 京剧	B 看 京剧	C 学 京剧

	nán de	nǚ de	nǚ de de péngyou
35.	A 男 的	B 女 的	C 女 的 的 朋友

二、阅 读

第一部分

第 36-40 题

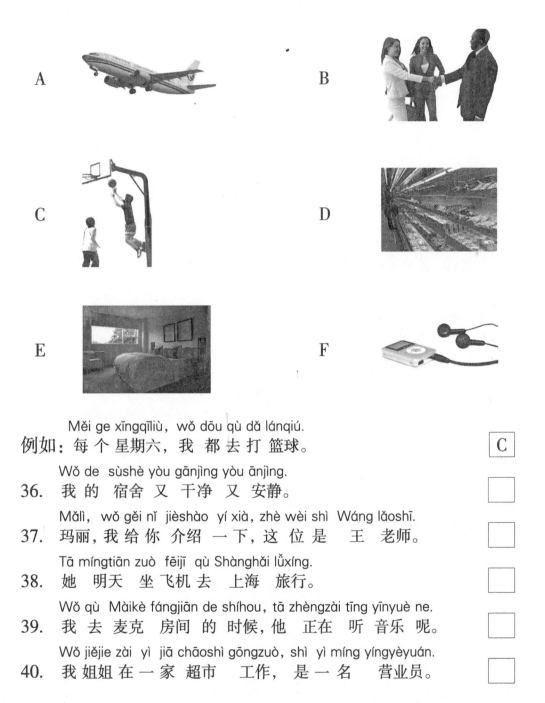

A

B

C

D

E

F

Měi ge xīngqīliù, wǒ dōu qù dǎ lánqiú.
例如：每 个 星期六，我 都 去 打 篮球。　　　C

Wǒ de sùshè yòu gānjìng yòu ānjìng.
36. 我 的 宿舍 又 干净 又 安静。

Mǎlì, wǒ gěi nǐ jièshào yí xià, zhè wèi shì Wáng lǎoshī.
37. 玛丽，我 给 你 介绍 一下，这 位 是 王 老师。

Tā míngtiān zuò fēijī qù Shànghǎi lǚxíng.
38. 她 明天 坐飞机 去 上海 旅行。

Wǒ qù Màikè fángjiān de shíhou, tā zhèngzài tīng yīnyuè ne.
39. 我 去 麦克 房间 的 时候，他 正在 听 音乐 呢。

Wǒ jiějie zài yì jiā chāoshì gōngzuò, shì yì míng yíngyèyuán.
40. 我 姐姐 在 一家 超市 工作，是 一 名 营业员。

第二部分

第 41-45 题

	rìyòngpǐn		jiā		guì		hǎojiǔ		yínháng		shítáng
A	日用品	B	家	C	贵	D	好久	E	银行	F	食堂

例如：
Zhèr de yángròu hěn hǎochī, dànshì yě hěn
这儿 的 羊肉 很 好吃, 但是 也 很 （ C ）。

41.
Zhōngwǔ wǒ chángcháng qù xuéxiào chīfàn.
中午 我 常常 去 学校 （   ） 吃饭。

42.
Wáng lǎoshī bú zài bàngōngshì, tā zài ne.
王 老师 不 在 办公室, 她 在 （   ） 呢。

43.
Zhège xiāngzi lǐmiàn shì yìxiē
这个 箱子 里面 是 一些 （   ）。

44.
bú jiàn, zuìjìn shēntǐ zěnmeyàng?
（   ） 不 见, 最近 身体 怎么样?

45.
Nǐ māma zài nǎr gōngzuò?
A：你 妈妈 在 哪儿 工作?
Wǒ māma zài gōngzuò.
B：我 妈妈 在 （   ） 工作。

第三部分

第 46-50 题

例如：
Xiànzài shì diǎn fēn, tāmen yǐjīng yóule fēnzhōng le.
现在 是 11 点 30 分， 他们 已经 游了 20 分钟 了。

Tāmen diǎn fēn kāishǐ yóuyǒng.
★ 他们 11 点 10 分 开始 游泳。 （ √ ）

Wǒ huì tiàowǔ, dàn tiào de bù zěnmeyàng.
我 会 跳舞， 但 跳 得 不 怎么样。

Wǒ tiào de fēicháng hǎo.
★ 我 跳 得 非常 好。 （ × ）

46.
Wǒmen bān yǒu shíbā ge xuésheng, yǒu yíbàn láizì Hánguó.
我们 班 有 十八 个 学生， 有 一半 来自 韩国。

Wǒmen bān yǒu jiǔ ge Hánguó xuésheng.
★ 我们 班 有 九 个 韩国 学生。 （ ）

47.
Xiàkè yǐhòu nǐ xiān huí sùshè ba. Wǒ xiān bù huíqu, wǒ yào qù shāngdiàn
下课 以后 你 先 回 宿舍 吧。我 先 不 回去，我 要 去 商店
mǎi dōngxi.
买 东西。

Xiàkè yǐhòu wǒ yào xiān huí sùshè.
★ 下课 以后 我 要 先 回 宿舍。 （ ）

48.
Jīntiān xīngqīliù, zhè zhāng bàozhǐ shì zuótiān de.
今天 星期六， 这 张 报纸 是 昨天 的。

Zhè zhāng bàozhǐ shì xīngqīwǔ de.
★ 这 张 报纸 是 星期五 的。 （ ）

49.
Zhè bú shì hào lóu, hào lóu shì yí ge xīn lóu.
这 不 是 2 号 楼，2 号 楼 是 一 个 新 楼。

hào lóu shì xīn lóu.
★ 2 号 楼 是 新 楼。 （ ）

Jīntiān wǒ yǒudiǎnr shì, wǒmen míngtiān qù kàn zhǎnlǎn ba.

50. 今天 我 有点儿 事， 我们 明天 去 看 展览 吧。

Wǒ jīntiān bù néng qù kàn zhǎnlǎn.

★ 我 今天 不 能 去 看 展览。   （   ）

第四部分

第 51-55 题

A
Wǒ míngnián jiù dàxué bìyè le.
我 明年 就 大学 毕业 了。

B
Tóngxuémen wèi wǒ jǔxíngle yí ge shēngrì wǎnhuì.
同学们 为 我 举行了 一 个 生日 晚会。

C
Láojià, wǒ dǎting yí xià, qù zhǎnlǎnguǎn zěnme zǒu?
劳驾, 我 打听 一 下, 去 展览馆 怎么 走?

D
Tā tàijíquán dǎ de zhēn hǎo.
他 太极拳 打 得 真 好。

E
Lái bēi kāfēi, zěnmeyàng?
来 杯 咖啡, 怎么样?

F
Tā zài nǎr ne? Nǐ kànjiàn tā le ma?
他 在 哪儿 呢? 你 看见 他 了 吗?

Tā hái zài jiàoshì li xuéxí.
例如: 他 还 在 教室 里 学习。 | F |

Yìzhí wǎng qián zǒu jiùshì.
51. 一直 往 前 走 就是。 | |

Wǒ xiǎng dāng yì míng fānyì.
52. 我 想 当 一 名 翻译。 | |

Wǒ bù xiǎng hē kāfēi, háishi hē chá ba.
53. 我 不 想 喝 咖啡, 还是 喝 茶 吧。 | |

Wǒmen yìqǐ chànggē、chī dàngāo, wánr de hěn gāoxìng.
54. 我们 一起 唱歌、 吃 蛋糕, 玩儿 得 很 高兴。 | |

Tā qǐngle yí wèi lǎoshī jiāo tā, měitiān liànxí.
55. 他 请了 一 位 老师 教 他, 每天 练习。 | |

第 56-60 题

Nǐ yèyú shíjiān chángcháng zuò shénme?

A 你 业余 时间 常常 做 什么?

Mǎlì zěnme méi lái shàngkè?

B 玛丽 怎么 没 来 上课?

Wǒ de shǒujī méi diàn le, kěyǐ yòng yí xià nǐ de ma?

C 我 的 手机 没 电 了,可以 用 一 下 你 的 吗?

Wǒ měitiān dōu jiānchí duànliàn.

D 我 每天 都 坚持 锻炼。

Wǒ lái Zhōngguó sì ge yuè le.

E 我 来 中国 四个月了。

Wǒ bù cháng duànliàn, suǒyǐ chángcháng shēngbìng.

56. 我 不 常 锻炼, 所以 常常 生病。 ☐

Wǒ de Hànyǔ jìnbù hěn dà.

57. 我 的 汉语 进步 很 大。 ☐

Tā fāshāo le, zài sùshè xiūxi ne.

58. 她 发烧 了,在 宿舍 休息 呢。 ☐

Wǒ duì Zhōngguó shūfǎ hěn gǎn xìngqù,wǒ zhèngzài gēn yí ge lǎoshī xuéxí ne.

59. 我 对 中国 书法 很 感 兴趣,我 正在 跟 一个老师 学习 呢。

☐

Dāngrán kěyǐ, méi wèntí!

60. 当然 可以, 没 问题! ☐

新汉语水平考试

HSK（二级）模拟试卷 5

注　　意

一、HSK（二级）分两部分：

　　1. 听力（35 题，约 25 分钟）

　　2. 阅读（25 题，20 分钟）

二、**答案先写在试卷上，最后 5 分钟再写在答题卡上。**

三、全部考试约 55 分钟（含考生填写个人信息时间 5 分钟）。

一、听 力

第一部分

第 1-10 题

例如：		√
		×
1.		
2.		
3.		

4.		
5.		
6.		
7.		
8.		
9.		
10.		

第二部分

第 11-15 题

A

B

C

D

E

F

例如：
男：
Nǐ xǐhuan shénme yùndòng?
你 喜欢 什么 运动?

女：
Wǒ xǐhuan dǎ wǎngqiú.
我 喜欢 打 网球。

B

11. ☐

12. ☐

13. ☐

14. ☐

15. ☐

第 16–20 题

A

B

C

D

E

16. ☐

17. ☐

18. ☐

19. ☐

20. ☐

第三部分

第 21-30 题

Xiǎo Wáng, zhèlǐ yǒu jǐ ge bēizi, nǎge shì nǐ de?
例如：男：小 王，这里 有 几 个 杯子，哪个 是 你 的?

Zuǒbian nàge hóngsè de shì wǒ de.
女：左边 那个 红色 的 是 我 的。

Xiǎo Wáng de bēizi shì shénme yánsè de?
问：小 王 的 杯子 是 什么 颜色 的?

hóngsè	hēisè	báisè
A 红色 √	B 黑色	C 白色

hěn nán xué	bù nán xué	yìbān
21. A 很 难 学	B 不 难 学	C 一般

yínháng	yīyuàn	xuéxiào
22. A 银行	B 医院	C 学校

xīngqīrì	xīngqīliù	xīngqīwǔ
23. A 星期日	B 星期六	C 星期五

qù kāihuì	kàn péngyou	chī xiǎochī
24. A 去 开会	B 看 朋友	C 吃 小吃

xiě xìn	fā yóujiàn	mǎi yóupiào
25. A 写 信	B 发 邮件	C 买 邮票

hěn shāngxīn	hěn gāoxìng	hěn shēngqì
26. A 很 伤心	B 很 高兴	C 很 生气

zǎoshang qī diǎn	xiàwǔ sì diǎn	xiàwǔ yī diǎn
27. A 早上 七点	B 下午 四 点	C 下午 一 点

bàba	māma	gēge
28. A 爸爸	B 妈妈	C 哥哥

tiānqì	jiàgé	gōngzī
29. A 天气	B 价格	C 工资

zài mǎi yí jiàn	bié mǎi le	bù zhīdào
30. A 再 买 一 件	B 别 买 了	C 不 知道

第四部分

第 31-35 题

Qǐng zài zhèr xiě nǐ de míngzi.
例如：女：请 在 这儿 写 你 的 名字。

Shì zhèr ma?
男：是 这儿 吗？

Bú shì, shì zhèr.
女：不 是，是 这儿。

Hǎo, xièxie.
男：好，谢谢。

Nán de yào xiě shénme?
问：男 的 要 写 什么？

míngzi	shíjiān	fángjiān hào
A 名字 √	B 时间	C 房间 号

31.	dòngwùyuán A 动物园	huǒchēzhàn B 火车站	gōngyuán C 公园
32.	shīshēng A 师生	tóngxué B 同学	mǔzǐ C 母子
33.	shǒujī A 手机	shēngrì rìqī B 生日 日期	diànhuà hàomǎ C 电话 号码
34.	fěnsè A 粉色	hóngsè B 红色	huángsè C 黄色
35.	Chūn Jié A 春节	Duānwǔ Jié B 端午 节	Zhōngqiū Jié C 中秋 节

二、阅 读

第一部分

第 36-40 题

A

B

C

D

E

F

例如：
Měi ge xīngqīliù, wǒ dōu qù dǎ lánqiú.
每 个 星期六，我 都 去 打 篮球。　　　D

36.
Wǒ tóu téng, bù shūfu, xiǎng qù kàn yīshēng.
我 头 疼，不 舒服，想 去 看 医生。

37.
Nǐ kàn, zhè shì wǒmen quán jiā chūqu wánr zhào de zhàopiàn.
你 看，这 是 我们 全家 出去 玩儿 照 的 照片。

38.
Zhège zhōumò nǐ yǒu kòngr ma? Wǒmen yìqǐ qù gōngyuán ba.
这个 周末 你 有 空儿 吗? 我们 一起 去 公园 吧。

39.
Wáng lǎoshī jiāo wǒmen Hànyǔ, tā shì yí ge hěn hǎo de lǎoshī.
王 老师 教 我们 汉语，她 是 一个 很 好 的 老师。

40.
Wǒ jìnqu de shíhou, tā zhèngzài dǎ diànhuà ne.
我 进去 的 时候，他 正在 打 电话 呢。

第二部分

第 41-45 题

	cānguān		zhǎo		ānjìng		zázhì		guì		juéde
A	参观	B	找	C	安静	D	杂志	E	贵	F	觉得

Zhèr de yángròu hěn hǎochī, dànshì yě hěn
例如：这儿 的 羊肉 很 好吃，但是 也 很 （ E ）。

Wǒ cóng lǎoshī nàr jièle yì běn Zhōngwén
41. 我 从 老师 那儿 借了 一 本 中文 （　　　）。

Fúwùyuán："Zhè shì wǔshí kuài, nín èrshíliù."
42. 服务员："这 是 五十 块，（　　　）您 二十六。"

Túshūguǎn hěn wǒ xǐhuan qù nàr kàn shū.
43. 图书馆 很 （　　　），我 喜欢 去 那儿 看 书。

Nǐ xuéxí Hànyǔ nán ma?
44. 你 （　　　）学习 汉语 难 吗？

Nǐmen qù nàr zuò shénme?
45. A：你们 去 那儿 做 什么？
Wǒmen qù nàr
B：我们 去 那儿 （　　　）。

第三部分

第 46-50 题

例如：
Xiànzài shì diǎn fēn, tāmen yǐjīng yóule fēnzhōng le.
现在 是 11 点 30 分, 他们 已经 游了 20 分钟 了。

Tāmen diǎn fēn kāishǐ yóuyǒng.
★ 他们 11 点 10 分 开始 游泳。 　　　　　(√)

Wǒ huì tiàowǔ, dàn tiào de bù zěnmeyàng.
我 会 跳舞, 但 跳 得 不 怎么样。

Wǒ tiào de fēicháng hǎo.
★ 我 跳 得 非常 好。 　　　　　　　　　　(×)

Zhè bú shì wǒ de shū, wǒ de shū shàngmiàn yǒu wǒ de míngzi.
46. 这 不是我的书, 我 的 书 上面 有 我 的 名字。
Zhè běn shū shàngmiàn méiyǒu xiě wǒ de míngzi.
★ 这 本 书 上面 没有 写 我 的 名字。 　　　( )

Wǒ bàba zài yì jiā wàimào gōngsī gōngzuò, gōngsī yǒu yìbǎi duō ge zhíyuán,
47. 我 爸爸 在一家 外贸 公司 工作, 公司 有 一百 多 个 职员,
yǒu Zhōngguó rén, yě yǒu wàiguó rén.
有 中国 人, 也 有 外国 人。
Bàba gōngsī de zhíyuán bù dōu shì Zhōngguó rén.
★ 爸爸 公司 的 职员 不 都 是 中国 人。 　　　( )

Màikè, wǒ méiyǒu《Hàn-Yīng Cídiǎn》, wǒ zhǐ yǒu《Yīng-Hàn Cídiǎn》.
48. 麦克, 我 没有 《汉英 词典》, 我 只 有 《英汉 词典》。
Màikè xiǎng yào《Yīng-Hàn Cídiǎn》.
★ 麦克 想 要 《英汉 词典》。 　　　　　　　( )

Wǒ dìdi xǐhuan tīng yīnyuè, tā yǒu shàng bǎi zhāng yīnyuè
49. 我 弟弟 喜欢 听 音乐, 他 有 上 百 张 音乐 CD。
Wǒ dìdi shì ge yīnyuèmí.
★ 我 弟弟 是 个 音乐迷。 　　　　　　　　　( )

Wǒ qù túshūguǎn huán shū, shùnbiàn jiè yì běn shū.

50. 我 去 图书馆 还 书， 顺便 借 一 本 书。

Wǒ qù túshūguǎn kàn shū.

★ 我 去 图书馆 看 书。　　　　　　　　　　　　（　　）

第四部分

第 51-55 题

Tīngshuō zhèlǐ de dōngtiān hěn lěng.
A 听说 这里的 冬天 很 冷。

Wǒ měitiān shàngwǔ dōu yǒu kè, xīngqīyī hé xīngqīsān xiàwǔ yě yǒu kè.
B 我 每天 上午 都 有 课, 星期一 和 星期三 下午 也 有 课。

Wǒ zhège wàiguó rén zhème xǐhuan kàn jīngjù.
C 我 这个 外国 人 这么 喜欢 看 京剧。

Zhǎnlǎnguǎn lí zhèr yuǎn ma?
D 展览馆 离 这儿 远 吗?

Tā zài nǎr ne? Nǐ kànjiàn tā le ma?
E 他 在 哪儿 呢? 你 看见 他 了 吗?

Wǒ yòu gǎnmào le.
F 我 又 感冒 了。

Tā hái zài jiàoshì li xuéxí.
例如: 他 还 在 教室 里 学习。   E

Wǒ yí ge xīngqī yǒu sān tiān xiàwǔ méiyǒu kè.
51. 我 一 个 星期 有 三 天 下午 没有 课。 □

Nǐ yīnggāi duō yùndòng, zhèyàng jiù bú huì jīngcháng shēngbìng le.
52. 你 应该 多 运动, 这样 就 不 会 经常 生病 了。 □

Cóng zhèr dào zhǎnlǎnguǎn dàgài yǒu liù-qī bǎi mǐ.
53. 从 这儿 到 展览馆 大概 有 六七 百 米。 □

Wǒ hái méiyǒu yǔróngfú ne, xiǎng qù mǎi yí jiàn.
54. 我 还 没有 羽绒服 呢, 想 去 买 一 件。 □

Hěn duō Zhōngguó rén gǎndào hěn jīngyà.
55. 很 多 中国 人 感到 很 惊讶。 □

第 56-60 题

Zhāng Lì zài jiā ma?
A　　张 立 在 家 吗?

Jīntiān shì zhōumò.
B　　今天 是 周末。

Nǐ Hànyǔ shuō de zhēn hǎo.
C　　你 汉语 说 得 真 好。

Tā shì yí ge piàoliang de gūniang.
D　　她 是 一 个 漂亮 的 姑娘。

Wǒ shuō de dàjiā dōu tīng míngbai le ba?
E　　我 说 的 大家 都 听 明白 了 吧?

Wǒ dǎsuàn gēn tóngwū yìqǐ qù shūdiàn.
56.　我 打算 跟 同屋 一起 去 书店。　　□

Yǎnjing dàdà de, bízi gāogāo de, bú pàng yě bú shòu.
57.　眼睛 大大 的, 鼻子 高高 的, 不胖 也 不 瘦。　　□

Tā chūqu mǎi dōngxi le, yíhuìr jiù huílai.
58.　他 出去 买 东西 了, 一会儿 就 回来。　　□

Duìbuqǐ, nín néng bu néng zài shuō yí biàn?
59.　对不起, 您 能 不 能 再 说 一 遍?　　□

Nǎlǐ nǎlǐ, hái chà de yuǎn ne.
60.　哪里 哪里, 还 差 得 远 呢。　　□

新汉语水平考试

HSK（二级）模拟试卷 **6**

注　意

一、HSK（二级）分两部分：

　　1. 听力（35题，约25分钟）

　　2. 阅读（25题，20分钟）

二、**答案先写在试卷上，最后5分钟再写在答题卡上。**

三、全部考试约55分钟（含考生填写个人信息时间5分钟）。

一、听 力

第一部分

第 1-10 题

例如：		√
		×
1.		
2.		
3.		

4.		
5.		
6.		
7.		
8.		
9.		
10.		

第二部分

第 11–15 题

A

B

C

D

E

F

Nǐ xǐhuan shénme yùndòng?
例如：男：你 喜欢　 什么　 运动？

Wǒ xǐhuan dǎ wǎngqiú.
　　女：我　 喜欢 打　 网球。　　　　　　 A

11.　　　　　　　　　　　　　　　　　　☐

12.　　　　　　　　　　　　　　　　　　☐

13.　　　　　　　　　　　　　　　　　　☐

14.　　　　　　　　　　　　　　　　　　☐

15.　　　　　　　　　　　　　　　　　　☐

第 16–20 题

A

B

C

D

E

16. ☐

17. ☐

18. ☐

19. ☐

20. ☐

第三部分

第 21-30 题

Xiǎo Wáng, zhèlǐ yǒu jǐ ge bēizi, nǎge shì nǐ de?
例如：男：小 王，这里 有 几 个 杯子，哪个 是 你 的？

Zuǒbian nàge hóngsè de shì wǒ de.
女：左边 那个 红色 的 是 我 的。

Xiǎo Wáng de bēizi shì shénme yánsè de?
问：小 王 的 杯子 是 什么 颜色 的？

	hóngsè		hēisè		báisè
	A 红色 √	B	黑色	C	白色

21.
diǎn	diǎn	diǎn
A 8 点	B 10 点	C 12 点

22.
kū le	shēngqì le	xiào le
A 哭 了	B 生气 了	C 笑 了

23.
zài tīng yí biàn	zài shuō yí biàn	zài zuò yíhuìr
A 再 听 一 遍	B 再 说 一 遍	C 再 坐 一会儿

24.
xuéxiào lǐmiàn	xuéxiào wàimiàn	bù zhīdào
A 学校 里面	B 学校 外面	C 不 知道

25.
hěn piàoliang	hěn jiù	hěn xīn
A 很 漂亮	B 很 旧	C 很 新

26.
sān biàn	liǎng biàn	yí biàn
A 三 遍	B 两 遍	C 一 遍

27.
bìng hǎo le	bù xiǎng chī	yào méi le
A 病 好 了	B 不 想 吃	C 药 没 了

28.
yuán	yuán	yuán
A 5 元	B 4 元	C 3 元

29.
liáotiānr	shàngkè	kāihuì
A 聊天儿	B 上课	C 开会

30.
bù néng qù	yìqǐ qù	wǎn diǎnr qù
A 不 能 去	B 一起 去	C 晚 点儿 去

第四部分

第 31-35 题

Qǐng zài zhèr xiě nǐ de míngzi.
例如：女：请 在 这儿 写 你 的 名字。

Shì zhèr ma?
男：是 这儿 吗?

Bú shì, shì zhèr.
女：不 是，是 这儿。

Hǎo, xièxie.
男：好，谢谢。

Nán de yào xiě shénme?
问：男 的 要 写 什么?

míngzi	shíjiān	fángjiān hào
A 名字 √	B 时间	C 房间 号

shí diǎn	shí diǎn bàn	shíyī diǎn
31. A 十 点	B 十 点 半	C 十一 点
fēijīchǎng	qìchēzhàn	huǒchēzhàn
32. A 飞机场	B 汽车站	C 火车站
qù bówùguǎn	qù gōngyuán	qù zhǎnlǎnguǎn
33. A 去 博物馆	B 去 公园	C 去 展览馆
qù shítáng	bù chī le	tā qǐngkè
34. A 去 食堂	B 不 吃 了	C 他 请客
diū le	méi diàn le	huài le
35. A 丢 了	B 没 电 了	C 坏 了

二、阅 读

第一部分

第 36-40 题

Měi ge xīngqīliù, wǒ dōu qù dǎ lánqiú.
例如：每 个 星期六，我 都 去 打 篮球。 F

Búyào tǎngzhe kàn shū, duì yǎnjing bù hǎo.
36. 不要 躺着 看 书，对 眼睛 不 好。

Wǒ kànjiàn tā de shíhou, tā zhèngzài chāoshì mǎi dōngxi ne.
37. 我 看见 他 的 时候，他 正在 超市 买 东西 呢。

Wǒmen dōu shì liúxuéshēng, wǒmen lái Zhōngguó xuéxí Hànyǔ.
38. 我们 都 是 留学生， 我们 来 中国 学习 汉语。

Jiàoshì hòumiàn de qiáng shang guàzhe yì zhāng Zhōngguó dìtú.
39. 教室 后面 的 墙 上 挂着 一 张 中国 地图。

Wǒ de shǒujī méi diàn le, qǐng jiè wǒ yòng yí xià nǐ de shǒujī, hǎo ma?
40. 我 的 手机 没 电 了，请 借 我 用 一 下 你 的 手机，好 吗?

第二部分

第 41-45 题

	bǐjiào		dài		guì		zánmen		búyòng		liàng
A	比较	B	带	C	贵	D	咱们	E	不用	F	辆

例如：
Zhèr de yángròu hěn hǎochī, dànshì yě hěn
这儿 的 羊肉 很 好吃, 但是 也 很 （ C ）。

Míngtiān yǒu yǔ, búyào wàngle   sǎn.
41. 明天 有雨, 不要 忘了 （   ）伞。

Wǎnshang   yìqǐ qù kàn diànyǐng, hǎo ma?
42. 晚上 （   ）一起 去 看 电影, 好 吗?

Xuéxí Hànyǔ tīng hé shuō   róngyì, dànshì dú hé xiě hěn nán.
43. 学习 汉语 听和说 （   ）容易, 但是 读和写很 难。

Tā mǎile yí   xīn qìchē.
44. 他 买了 一 （   ）新 汽车。

Wǒ gěi nǐ ná qián.
45. A: 我 给你 拿钱。
xiān yòng wǒ de qián mǎi ba.
B: （   ）, 先 用 我 的 钱 买 吧。

第三部分

第 46-50 题

Xiànzài shì diǎn fēn, tāmen yǐjīng yóule fēnzhōng le.
例如: 现在 是 11 点 30 分, 他们 已经 游了 20 分钟 了。

       Tāmen diǎn fēn kāishǐ yóuyǒng.
★ 他们 11 点 10 分 开始 游泳。   (√)

    Wǒ huì tiàowǔ, dàn tiào de bù zěnmeyàng.
    我 会 跳舞, 但 跳 得 不 怎么样。

       Wǒ tiào de fēicháng hǎo.
★ 我 跳 得 非常 好。   (×)

    Zhè bú shì wǒ de xiāngzi, wǒ de xiāngzi hěn dà.
46. 这 不 是 我 的 箱子, 我 的 箱子 很 大。

       Wǒ de xiāngzi bǐ zhège xiāngzi dà.
★ 我 的 箱子 比 这个 箱子 大。   ( )

    Zhè shì wǒ de tóngwū Qiáozhì, tā yě láizì Fǎguó. Wǒmen lái Zhōngguó
47. 这 是 我 的 同屋 乔治, 他 也 来自 法国。 我们 来 中国
xuéxí Hànyǔ.
学习 汉语。

       Wǒ shì Fǎguó rén.
★ 我 是 法国 人。   ( )

    Mǎlì, nǐ qù yóujú jì bāoguǒ, shùnbiàn bāng wǒ mǎi liǎng zhāng yóupiào,
48. 玛丽, 你 去 邮局 寄 包裹, 顺便 帮 我 买 两 张 邮票,
hǎo ma?
好 吗?

       Wǒ qù yóujú mǎi yóupiào.
★ 我 去 邮局 买 邮票。   ( )

Jiàoshì li zhǐ yǒu yì zhāng Zhōngguó dìtú, méiyǒu shìjiè dìtú.

49. 教室 里 只 有 一 张 中国 地图，没有 世界 地图。

Jiàoshì li méiyǒu Zhōngguó dìtú, yě méiyǒu shìjiè dìtú.

★ 教室 里 没有 中国 地图，也 没有 世界 地图。 （ ）

Tā bàn nián qián shēngbìng le, zhùle liǎng ge yuè yīyuàn.

50. 他 半 年 前 生病 了，住了 两 个 月 医院。

Tā yǐjīng shēngbìng liǎng ge yuè le.

★ 他 已经 生病 两 个 月 了。 （ ）

第四部分

第 51-55 题

A
Láojià, wǒ dǎtīng yí xià, zhǎnlǎnguǎn zài nǎr?
劳驾，我打听一下，展览馆在哪儿？

B
Tā Hànyǔ shuō de hěn liúlì.
他汉语说得很流利。

C
Tā shénme shíhou huílai?
她什么时候回来？

D
Tā zuìjìn jìnbù hěn kuài.
他最近进步很快。

E
Tā zài nǎr ne? Nǐ kànjiàn tā le ma?
他在哪儿呢？你看见他了吗？

F
Nǐ zěnme kū le?
你怎么哭了？

Tā hái zài jiàoshì li xuéxí.
例如：他还在教室里学习。 | E |

51.
Tā qǐngle yí wèi fǔdǎo lǎoshī.
他请了一位辅导老师。

52.
Xīnnián kuài dào le, wǒ xiǎng jiā le.
新年快到了，我想家了。

53.
Dànshì tā bú huì xiě Hànzì.
但是他不会写汉字。

54.
Wǎng qián zǒu wǔshí mǐ, nà zuò hóngsè de lóu jiùshì.
往前走五十米，那座红色的楼就是。

55.
Tā méi shuō, nǐ gěi tā dǎ diànhuà ba.
她没说，你给她打电话吧。

第 56-60 题

A 　昨天 的 足球 比赛 怎么样？
Zuótiān de zúqiú bǐsài zěnmeyàng?

B 　我 回 房间 拿 照相机，一会儿 就 来。
Wǒ huí fángjiān ná zhàoxiàngjī, yíhuìr jiù lái.

C 　我们 很 长 时间 没有 见面 了。
Wǒmen hěn cháng shíjiān méiyǒu jiànmiàn le.

D 　他 能 不 能 来 上课？
Tā néng bu néng lái shàngkè?

E 　今天 学校 组织 留学生 去 爬 山。
Jīntiān xuéxiào zǔzhī liúxuéshēng qù pá shān.

56. 可是我 常 给她写信。
Kěshì wǒ cháng gěi tā xiě xìn.
☐

57. 早上 五 点钟 我就 起床 了。
Zǎoshang wǔ diǎnzhōng wǒ jiù qǐchuáng le.
☐

58. 我们 班踢得很 好！
Wǒmen bān tī de hěn hǎo!
☐

59. 好，我 等 你。
Hǎo, wǒ děng nǐ.
☐

60. 他要去接 朋友，不 能 来 了。
Tā yào qù jiē péngyou, bù néng lái le.
☐

新汉语水平考试

HSK（二级）模拟试卷 7

注　意

一、HSK（二级）分两部分：

    1. 听力（35题，约25分钟）

    2. 阅读（25题，20分钟）

二、**答案先写在试卷上，最后5分钟再写在答题卡上。**

三、全部考试约55分钟（含考生填写个人信息时间5分钟）。

一、听 力

第一部分

第 1-10 题

例如：		√
		×
1.		
2.		
3.		

4.		
5.		
6.		
7.		
8.		
9.		
10.		

第二部分

第 11-15 题

A		B	
C		D	
E		F	

例如：
男：Nǐ xǐhuan shénme yùndòng?
你 喜欢 什么 运动?

女：Wǒ xǐhuan dǎ wǎngqiú.
我 喜欢 打 网球。

B

11. ☐

12. ☐

13. ☐

14. ☐

15. ☐

第 16–20 题

A

B

C

D

E

16. ☐

17. ☐

18. ☐

19. ☐

20. ☐

第三部分

第 21-30 题

Xiǎo Wáng, zhèlǐ yǒu jǐ ge bēizi, nǎge shì nǐ de?
例如：男：小　王，这里　有　几个杯子，哪个　是你的？

Zuǒbiān nàge hóngsè de shì wǒ de.
女：左边　那个　红色　的是我的。

Xiǎo Wáng de bēizi shì shénme yánsè de?
问：小　王的杯子是　什么　颜色的？

hóngsè A 红色 √	hēisè B 黑色	báisè C 白色

21.
hěn gāoxìng A 很　高兴	xīnqíng bù hǎo B 心情　不好	bù xǐhuan kǎoshì C 不　喜欢　考试

22.
yuè hào A 10月3号	yuè hào B 10月4号	yuè hào C 10月5号

23.
jiā li A 家里	gōngsī B 公司	fàndiàn C 饭店

24.
yí ge rén A 一个人	liǎng ge rén B 两　个人	sān ge rén C 三个人

25.
yīshēng A 医生	xuésheng B 学生	zhíyuán C 职员

26.
jiàoshì A 教室	yínháng B 银行	shāngdiàn C 商店

27.
è le A 饿了	chībǎo le B 吃饱了	chīwán le C 吃完了

28.
chūntiān A 春天	xiàtiān B 夏天	qiūtiān C 秋天

29.
Hánguó rén A 韩国人	Zhōngguó rén B 中国人	Yīngguó rén C 英国人

30.
huì A 会	bù zhīdào B 不　知道	bú huì C 不会

第四部分

第 31-35 题

Qǐng zài zhèr xiě nǐ de míngzi.
例如：女：请 在 这儿 写 你 的 名字。

Shì zhèr ma?
男：是 这儿 吗？

Bú shì, shì zhèr.
女：不 是，是 这儿。

Hǎo, xièxie.
男：好，谢谢。

Nán de yào xiě shénme?
问：男 的 要 写 什么？

míngzi	shíjiān	fángjiān hào
A 名字 √	B 时间	C 房间 号

yuán	yuán	yuán
31. A 49 元	B 45 元	C 50 元

bùxíng	pǎobù	zuò chē
32. A 步行	B 跑步	C 坐 车

Guǎngzhōu	Sūzhōu	Hángzhōu
33. A 广州	B 苏州	C 杭州

gàobié	dǎ diànhuà	chīfàn
34. A 告别	B 打 电话	C 吃饭

Xiǎo Wáng	Zhāng jīnglǐ	bù zhīdào
35. A 小 王	B 张 经理	C 不 知道

二、阅 读

第一部分

第 36-40 题

A

B

C

D

E

F

Měi ge xīngqīliù, wǒ dōu qù dǎ lánqiú.
例如：每 个 星期六，我 都 去 打 篮球。　　A

Wáng lǎoshī zhèng shàngkè ne, nǐ xiàwǔ lái zhǎo tā ba.
36.　王 老师 正 上课 呢, 你 下午 来 找 她 吧。

Tā xǐhuan zài jiā tīng yīnyuè.
37.　他 喜欢 在家 听 音乐。

Liú xiàozhǎng jīntiān kāihuì de shíhou jiǎnghuà le.
38.　刘 校长 今天 开会 的 时候 讲话 了。

Shūbāo li yǒu sān běn shū、 yì běn cídiǎn hé sān zhī bǐ.
39.　书包 里有 三 本 书、一 本 词典 和 三 支 笔。

Wǒmen bān xīn láile yí wèi Měiguó tóngxué, jiào Sūshān.
40.　我们 班 新 来了 一 位 美国 同学，叫 苏珊。

第二部分

第 41–45 题

	chángcháng		bān		gōngsī		zhīdào		máng		guì
A	常常	B	搬	C	公司	D	知道	E	忙	F	贵

Zhèr de yángròu hěn hǎochī, dànshì yě hěn

例如：这儿 的 羊肉 很 好吃，但是 也 很 （ F ）。

Nǐ　　　　　Wáng lǎoshī jiā de diànhuà hàomǎ ma?

41. 你（　　　）王 老师 家 的 电话 号码 吗？

Zuìjìn nǐ de gōngzuò　　　　　ma?

42. 最近 你 的 工作（　　　）吗？

Wǎnshang wǒ　　　　　gěi māma dǎ diànhuà.

43. 晚上 我（　　　）给 妈妈 打 电话。

Zhège xiāngzi tài zhòng le, bāng wǒ　　　　　yí xià, hǎo ma?

44. 这个 箱子 太 重 了，帮 我（　　　）一 下，好 吗？

Nǐ bàba de　　　　　yǒu duōshao gōngrén?

45. A：你 爸爸 的（　　　）有 多少 工人？

Yǒu bābǎi duō míng.

B：有 八百 多 名。

第三部分

第 46-50 题

例如：
Xiànzài shì 11 diǎn 30 fēn, tāmen yǐjīng yóule 20 fēnzhōng le.
现在 是 11 点 30 分, 他们 已经 游了 20 分钟 了。

Tāmen 11 diǎn 10 fēn kāishǐ yóuyǒng.
★ 他们 11 点 10 分 开始 游泳。 (√)

Wǒ huì tiàowǔ, dàn tiào de bù zěnmeyàng.
我 会 跳舞, 但 跳 得 不 怎么样。

Wǒ tiào de fēicháng hǎo.
★ 我 跳 得 非常 好。 (×)

46.
Zhè jiàn dàyī bú shì wǒ de, shì wǒ péngyou de, nà jiàn cháng de shì wǒ de.
这 件 大衣 不 是 我 的, 是 我 朋友 的, 那 件 长 的 是 我 的。

Wǒ de dàyī shì cháng de.
★ 我 的 大衣 是 长 的。 ( )

47.
Wǒ yǒu yí ge gēge、 yí ge jiějie hé yí ge dìdi, zhǐ yǒu wǒ gēge bù xuéxí
我 有 一个 哥哥、 一个 姐姐 和 一个 弟弟, 只 有 我 哥哥 不 学习

Hànyǔ.
汉语。

Wǒ de jiějie、 dìdi hé wǒ dōu xuéxí Hànyǔ.
★ 我 的 姐姐、 弟弟 和 我 都 学习 汉语。 ( )

48.
Jīntiān xià xuě le, lù hěn huá, wǒ bù qí zìxíngchē le, háishi zuò gōnggòng qìchē
今天 下 雪 了, 路 很 滑, 我 不 骑 自行车 了, 还是 坐 公共 汽车

qù xuéxiào ba.
去 学校 吧。

Wǒ píngshí qí zìxíngchē qù xuéxiào.
★ 我 平时 骑 自行车 去 学校。 ( )

49.
Xiànzài yì zhāng diànyǐngpiào liùshí kuài, yǐqián kěyǐ kàn liǎng ge diànyǐng ne!

现在 一 张 电影票 六十 块，以前 可以 看 两 个 电影 呢！

Yǐqián yì zhāng diànyǐngpiào èrshí kuài qián.

★ 以前 一 张 电影票 二十 块 钱。 （　　　）

50.
Wǒ lái Zhōngguó yǐqián shì gōngsī zhíyuán, xiànzài shì liúxuéshēng.

我 来 中国 以前 是 公司 职员， 现在 是 留学生。

Wǒ yǐqián gōngzuòguo.

★ 我 以前 工作过。 （　　　）

第四部分

第 51-55 题

A 他 汉语 说 得 怎么样？
Tā Hànyǔ shuō de zěnmeyàng?

B 我 下个 星期 就要 回 国 了。
Wǒ xià ge xīngqī jiù yào huí guó le.

C 他 在 哪儿 呢？你 看见 他 了 吗？
Tā zài nǎr ne? Nǐ kànjiàn tā le ma?

D 这个 星期 你 哪天 有 空儿？我 去 宿舍 找 你。
Zhège xīngqī nǐ nǎ tiān yǒu kòngr? Wǒ qù sùshè zhǎo nǐ.

E 早上 你 吃 什么 了？
Zǎoshang nǐ chī shénme le?

F 妈妈 是 一家 公司 的 经理。
Māma shì yì jiā gōngsī de jīnglǐ.

例如： 他 还 在 教室 里 学习。 | C |
Tā hái zài jiàoshì li xuéxí.

51. 我 给 家人 和 朋友 买了 很 多 礼物。 | |
Wǒ gěi jiārén hé péngyou mǎile hěn duō lǐwù.

52. 她 工作 很 忙，很 少 回家 吃 晚饭。 | |
Tā gōngzuò hěn máng, hěn shǎo huíjiā chī wǎnfàn.

53. 我 从 星期一 到 星期五 每天 上午 都 有 课，下午 有 时间。 | |
Wǒ cóng xīngqīyī dào xīngqīwǔ měitiān shàngwǔ dōu yǒu kè, xiàwǔ yǒu shíjiān.

54. 跟 中国 人 一样。 | |
Gēn Zhōngguó rén yíyàng.

55. 我 吃了 两 片 面包 和 一 个 鸡蛋，喝了 一 杯 牛奶。 | |
Wǒ chīle liǎng piàn miànbāo hé yí ge jīdàn, hēle yì bēi niúnǎi.

第 56–60 题

A
Zhè cì qù Shànghǎi nǐ dài shénme le?
这 次 去 上海 你 带 什么 了?

B
Zhè tào fángzi chúfáng、wòshì hái kěyǐ.
这 套 房子 厨房、卧室 还 可以。

C
Nǐmen xuéxiào yǒu duōshao liúxuéshēng?
你们 学校 有 多少 留学生?

D
Wǒ měitiān dōu jiānchí yùndòng.
我 每天 都 坚持 运动。

E
Nǐ zěnme chídào le?
你 怎么 迟到 了?

56.
Dànshì kètīng xiǎole yìdiǎnr.
但是 客厅 小了 一点儿。 □

57.
Wǒ de shēntǐ yuè lái yuè hǎo le.
我 的 身体 越 来 越 好 了。 □

58.
Yìxiē yīfu hé gǎnmào yào.
一些 衣服 和 感冒 药。 □

59.
Wǒ de biǎo huài le, qǐchuáng wǎn le.
我 的 表 坏 了，起床 晚 了。 □

60.
Dàgài yǒu yì qiān duō ge.
大概 有 一 千 多 个。 □

新汉语水平考试

HSK（二级）模拟试卷 *8*

注　意

一、HSK（二级）分两部分：

　　1. 听力（35题，约25分钟）

　　2. 阅读（25题，20分钟）

二、**答案先写在试卷上，最后5分钟再写在答题卡上。**

三、全部考试约55分钟（含考生填写个人信息时间5分钟）。

一、听 力

第一部分

第 1-10 题

例如：		√
		×
1.		
2.		
3.		

4.		
5.		
6.		
7.		
8.		
9.		
10.		

第二部分

第 11-15 题

A   B

C   D

E   F

Nǐ xǐhuan shénme yùndòng?
例如：男：你 喜欢 什么 运动？

Wǒ xǐhuan dǎ wǎngqiú.
女：我 喜欢 打 网球。   B

11.   ☐

12.   ☐

13.   ☐

14.   ☐

15.   ☐

第 16–20 题

A

B

C

D

E

16. ☐

17. ☐

18. ☐

19. ☐

20. ☐

第三部分

第 21-30 题

Xiǎo Wáng, zhèlǐ yǒu jǐ ge bēizi, nǎge shì nǐ de?
例如：男： 小 王， 这里 有 几 个 杯子， 哪个 是 你 的？

Zuǒbian nàge hóngsè de shì wǒ de.
女： 左边 那个 红色 的 是 我 的。

Xiǎo Wáng de bēizi shì shénme yánsè de?
问： 小 王 的 杯子 是 什么 颜色 的？

hóngsè
A 红色 √

hēisè
B 黑色

báisè
C 白色

céng
21. A 4 层

céng
B 5 层

céng
C 6 层

mǎi dōngxi
22. A 买 东西

dǎ diànhuà
B 打 电话

liáotiānr
C 聊天儿

yì zhōu
23. A 一 周

bàn ge yuè
B 半 个 月

yí ge yuè
C 一 个 月

shēngbìng le
24. A 生病 了

shòushāng le
B 受伤 了

huí guó le
C 回 国 了

yǔfǎ kè
25. A 语法 课

wénhuà kè
B 文化 课

tīnglì kè
C 听力 课

suì
26. A 22 岁

suì
B 23 岁

suì
C 24 岁

xià yǔ le
27. A 下 雨 了

xià xuě le
B 下 雪 了

tài lèi le
C 太 累 了

fàndiàn
28. A 饭店

shūdiàn
B 书店

shāngdiàn
C 商店

yǒudiǎnr dà
29. A 有点儿 大

hěn héshì
B 很 合适

yǒudiǎnr xiǎo
C 有点儿 小

yuè rì
30. A 7 月 23 日

yuè rì
B 4 月 13 日

yuè rì
C 4 月 23 日

第四部分

第 31–35 题

Qǐng zài zhèr xiě nǐ de míngzi.
例如：女：请 在 这儿 写 你 的 名字。

Shì zhèr ma?
男：是 这儿 吗？

Bú shì, shì zhèr.
女：不 是，是 这儿。

Hǎo, xièxie.
男：好，谢谢。

Nán de yào xiě shénme?
问：男 的 要 写 什么？

míngzi	shíjiān	fángjiān hào
A 名字 √	B 时间	C 房间 号

xià xuě	qíng	yǒu wù
31. A 下 雪	B 晴	C 有 雾
nán de	nǚ de	yìqǐ qù
32. A 男 的	B 女 的	C 一起 去
bù zhīdào	jiā li	fàndiàn
33. A 不 知道	B 家 里	C 饭店
wèi téng	tóu téng	yá téng
34. A 胃 疼	B 头 疼	C 牙 疼
yì zhāng	liǎng zhāng	sì zhāng
35. A 一 张	B 两 张	C 四 张

二、阅 读

第一部分

第 36–40 题

A	B
C	D
E	F

Měi ge xīngqīliù, wǒ dōu qù dǎ lánqiú.
例如：每 个 星期六，我 都 去 打 篮球。　　D

Tā zhèngzài shàngwǎng kàn jiémù ne.
36. 他 正在 上网 看 节目 呢。

Xiàwǔ méiyǒu kè de shíhou, wǒ chángcháng qù shūdiàn kàn shū.
37. 下午 没有 课的 时候，我 常常 去 书店 看书。

Píngguǒ tài guì le, piányi yìdiǎnr xíng bu xíng?
38. 苹果 太贵了，便宜 一点儿 行 不 行？

Wǒ zhǐ yǒu zhèxiē qián le, nǐ kàn gòu bu gòu?
39. 我 只 有 这些 钱了，你看 够 不 够？

Wáng lǎoshī ràng nǐ xiàkè hòu qù tā de bàngōngshì.
40. 王 老师 让 你下课 后去 她的 办公室。

第二部分

第 41–45 题

A 介绍 jièshào   B 行 xíng   C 留学 liúxué   D 资料 zīliào   E 贵 guì   F 教 jiāo

例如：这儿的 羊肉 很 好吃, 但是 也 很 (E)。
Zhèr de yángròu hěn hǎochī, dànshì yě hěn

41. 我 常常 去 图书馆 查 (   )。
Wǒ chángcháng qù túshūguǎn chá

42. 张 老师 (   ) 我们 听力 课 和 语法 课。
Zhāng lǎoshī wǒmen tīnglì kè hé yǔfǎ kè.

43. 你 什么 时候 来 中国 (   ) 的?
Nǐ shénme shíhou lái Zhōngguó de?

44. 我来 (   ) 一 下, 这 位 是 王 教授。
Wǒ lái yí xià, zhè wèi shì Wáng jiàoshòu.

45. A：今天 你 做 午饭, 可以 吗?
Jīntiān nǐ zuò wǔfàn, kěyǐ ma?

　　 B：(   )。

第三部分

第 46-50 题

例如：
　　　　Xiànzài shì diǎn fēn, tāmen yǐjīng yóule fēnzhōng le.
　　　　现在 是 11 点 30 分, 他们 已经 游了 20 分钟 了。

　　　　Tāmen diǎn fēn kāishǐ yóuyǒng.
　★ 他们 11 点 10 分 开始 游泳。　　　　　　　(√)

　　　　Wǒ huì tiàowǔ, dàn tiào de bù zěnmeyàng.
　　　　我 会 跳舞, 但 跳 得 不 怎么样。

　　　　Wǒ tiào de fēicháng hǎo.
　★ 我 跳 得 非常 好。　　　　　　　　　　　　(×)

　　　　Zāo le! Wǒ jīntiān chūmén de shíhou wàng dài yǔsǎn le.
46. 糟 了! 我 今天 出门 的 时候 忘 带 雨伞 了。

　　　　Xiànzài wàimiàn zhèng xià yǔ ne.
　★ 现在 外面 正 下雨 呢。　　　　　　　　　　( )

　　　　Nàge diànyǐngyuàn lí xuéxiào bú tài yuǎn, wǒmen búyòng zuò chē qù, kěyǐ
47. 那个 电影院 离 学校 不太 远, 我们 不用 坐 车 去, 可以
qí chē qù.
骑 车 去。

　　　　Wǒmen yào zuò chē qù kàn diànyǐng.
　★ 我们 要 坐 车 去看 电影。　　　　　　　　( )

　　　　Zhè jiàn dàyī de yánsè yǒudiǎnr shēn, yǒu méiyǒu qiǎn yìdiǎnr de?
48. 这 件 大衣 的 颜色 有点儿 深, 有 没有 浅 一点儿 的?

　　　　Wǒ xiǎng yào qiǎn yánsè de dàyī.
　★ 我 想 要 浅 颜色 的 大衣。　　　　　　　　( )

49.
Tīngshuō nàge zhǎnlǎn hěn hǎokàn, wǒ hěn xiǎng qù kànkan, nǐ xiǎng bu xiǎng
听说 那个 展览 很 好看， 我 很 想 去 看看，你 想 不 想

kàn? Wǒmen yìqǐ qù ba.
看？ 我们 一起 去 吧。

★ Wǒ xiǎng yí ge rén qù kàn zhǎnlǎn.
★ 我 想 一个 人 去 看 展览。   （   ）

50.
Yíhuìr yǒu yí ge xuésheng lái zhǎo wǒ. Wǒ sān diǎn yǐhòu kěyǐ qù nǐ nàr.
一会儿 有 一个 学生 来 找 我。我 三 点 以后 可以 去 你 那儿。

★ Xiànzài bú dào sān diǎnzhōng.
★ 现在 不 到 三 点钟。   （   ）

第四部分

第 51-55 题

Nǐ pīngpāngqiú dǎ de zhēn hǎo.

A 你 乒乓球 打得 真 好。

Zhè shuāng xié yǒudiǎnr xiǎo.

B 这 双 鞋 有点儿 小。

Wǎnshang wǒmen jǐ diǎn jiànmiàn?

C 晚上 我们 几点 见面?

Zhèlǐ de dōngtiān hěn lěng.

D 这里 的 冬天 很 冷。

Tā zài nǎr ne? Nǐ kànjiàn tā le ma?

E 他 在 哪儿 呢? 你 看见 他 了 吗?

Míngtiān wǒmen shénme shíhou qù shūdiàn mǎi shū?

F 明天 我们 什么 时候 去 书店 买 书?

Tā hái zài jiàoshì li xuéxí.

例如: 他 还 在 教室 里学习。　　　　　E

Nǐ zài shìshi zhè shuāng ba.

51. 你 再 试试 这 双 吧。

Dànshì fángjiān lǐmiàn hěn nuǎnhuo.

52. 但是 房间 里面 很 暖和。

Wǒ méiyǒu Xiǎo Jīn dǎ de hǎo.

53. 我 没有 小 金 打得 好。

Wǒmen xiàle kè jiù qù.

54. 我们 下了 课 就 去。

Wǎnshang qī diǎn, zài xuéxiào ménkǒu jiànmiàn.

55. 晚上 七点, 在 学校 门口 见面。

第 56–60 题

A 　Dàjiā hǎo! Wǒ jiào Liú Fāng.
　　大家 好！ 我 叫 刘 芳。

B 　Zhè yào zěnme chī?
　　这 药 怎么 吃？

C 　Qiánbāo nǐ zhǎodàole méiyǒu?
　　钱包 你 找到了 没有？

D 　Wǒ juéde yì nián de shíjiān tài duǎn le.
　　我 觉得 一年 的 时间 太 短 了。

E 　Nǐ gěi māma dǎ diànhuà le ma?
　　你 给 妈妈 打 电话 了 吗？

56.　Yì tiān sān cì, yí cì liǎng piàn, fàn hòu chī.
　　一 天 三 次，一 次 两 片，饭 后 吃。 □

57.　Wǒ xiǎng zài xué yì nián.
　　我 想 再 学 一 年。 □

58.　Zhè shì wǒmen bān de xīn tóngxué.
　　这 是 我们 班 的 新 同学。 □

59.　Zhǎodào le, wǒ fàng zài shàngyī kǒudai li le.
　　找到 了，我 放 在 上衣 口袋 里 了。 □

60.　Hái méiyǒu ne, wǒ xiànzài jiù qù dǎ.
　　还 没有 呢，我 现在 就 去 打。 □

新汉语水平考试

HSK（二级）模拟试卷 *9*

注　意

一、HSK（二级）分两部分：

    1. 听力（35 题，约 25 分钟）

    2. 阅读（25 题，20 分钟）

二、**答案先写在试卷上，最后 5 分钟再写在答题卡上。**

三、全部考试约 55 分钟（含考生填写个人信息时间 5 分钟）。

一、听 力

第一部分

第 1–10 题

例如：		√
		×
1.		
2.		
3.		

4.		
5.		
6.		
7.		
8.		
9.		
10.		

第二部分

第 11-15 题

A

B

C

D

E

F

Nǐ xǐhuan shénme yùndòng?
例如：男：你 喜欢 什么 运动？

Wǒ xǐhuan dǎ wǎngqiú.
女：我 喜欢 打 网球。 [D]

11. [ ]

12. [ ]

13. [ ]

14. [ ]

15. [ ]

第 16-20 题

A

B

C

D

E

16. ☐

17. ☐

18. ☐

19. ☐

20. ☐

第三部分

第 21-30 题

Xiǎo Wáng, zhèlǐ yǒu jǐ ge bēizi, nǎge shì nǐ de?
例如：男： 小 王， 这里 有 几个 杯子，哪个 是 你 的？

Zuǒbian nàge hóngsè de shì wǒ de.
女： 左边 那个 红色 的 是 我 的。

Xiǎo Wáng de bēizi shì shénme yánsè de?
问： 小 王 的 杯子 是 什么 颜色 的？

hóngsè	hēisè	báisè
A 红色 √	B 黑色	C 白色

21. | hěn hǎo | yìbān | bù hǎo |
    | A 很 好 | B 一般 | C 不 好 |

22. | gōngsī | yīyuàn | Xiǎo Wáng jiā |
    | A 公司 | B 医院 | C 小 王 家 |

23. | chūntiān | xiàtiān | dōngtiān |
    | A 春天 | B 夏天 | C 冬天 |

24. | shí cì | liù cì | sì cì |
    | A 十 次 | B 六 次 | C 四 次 |

25. | zhǎodào gōngzuò le | jiéhūn le | guò shēngrì |
    | A 找到 工作 了 | B 结婚 了 | C 过 生日 |

26. | nián | nián | nián |
    | A 3 年 | B 4 年 | C 5 年 |

27. | chīfàn | dǎchē | kàn yǎnchū |
    | A 吃饭 | B 打车 | C 看 演出 |

28. | chīguo le | hái méi chī | yìqǐ chī |
    | A 吃过 了 | B 还 没 吃 | C 一起 吃 |

29. | diǎn fēn | diǎn fēn | diǎn |
    | A 8 点 40 分 | B 8 点 50 分 | C 9 点 |

30. | zuǒbian | zhōngjiān | yòubian |
    | A 左边 | B 中间 | C 右边 |

第四部分

第 31-35 题

Qǐng zài zhèr xiě nǐ de míngzi.
例如：女：请 在 这儿 写 你 的 名字。

Shì zhèr ma?
男：是 这儿 吗？

Bú shì, shì zhèr.
女：不 是，是 这儿。

Hǎo, xièxie.
男：好，谢谢。

Nán de yào xiě shénme?
问：男 的 要 写 什么？

míngzi A 名字 √	shíjiān B 时间	fángjiān hào C 房间 号

31.	yuè hào A 5月4号	yuè hào B 5月20号	yuè hào C 4月20号
32.	yuán A 70元	yuán B 100元	yuán C 170元
33.	dǎ diànhuà A 打 电话	shuìjiào B 睡觉	kàn shū C 看 书
34.	Chángshā A 长沙	Chángchūn B 长春	Chángchéng C 长城
35.	zài A 在	bú zài B 不 在	bù zhīdào C 不 知道

二、阅 读

第一部分

第 36–40 题

A

B

C

D

E

F

Měi ge xīngqīliù, wǒ dōu qù dǎ lánqiú.

例如：每 个 星期六，我 都 去 打 篮球。   E

Wǒ zhù zài liúxuéshēng sùshè, wǒ de fángjiān hàomǎ shì

36. 我 住 在 留学生 宿舍，我 的 房间 号码 是 308。

Wǒ qízhe zhè liàng zìxíngchē dàochù zǒu.

37. 我 骑着 这 辆 自行车 到处 走。

Wǒ qǐng yí ge Zhōngguó péngyou hē chá.

38. 我 请 一 个 中国 朋友 喝 茶。

Jīntiān wǒmen bìyè le, dàjiā dōu hěn gāoxìng.

39. 今天 我们 毕业 了，大家 都 很 高兴。

Dàifu zhèngzài gěi bìngrén kànbìng ne.

40. 大夫 正在 给 病人 看病 呢。

第二部分

第 41-45 题

	guì		zǒng		shùnbiàn		kěnéng		yùxí		yǔfǎ
A	贵	B	总	C	顺便	D	可能	E	预习	F	语法

Zhèr de yángròu hěn hǎochī, dànshì yě hěn

例如：这儿 的 羊肉 很 好吃, 但是 也 很（ **A** ）。

Wǒ juéde Hànyǔ de　　　　　bú tài nán, Hànzì hěn nán.

41. 我 觉得 汉语 的（　　　）不 太 难, 汉字 很 难。

Wǒ gēge de péngyou　　　　yě shì lǎoshī.

42. 我 哥哥 的 朋友（　　　）也 是 老师。

Wǎnshang wǒ chángcháng fùxí kèwén huòzhě　　　shēngcí.

43. 晚上 我 常常 复习 课文 或者（　　　）生词。

Wǒ bù cháng qù túshūguǎn kàn shū, wǒ　　　　zài sùshè kàn shū.

44. 我 不 常 去 图书馆 看 书, 我（　　　）在 宿舍 看 书。

　　Wǒ qù yóujú jì bāoguǒ, nǐ qù bu qù?

45. A：我 去 邮局 寄 包裹, 你 去 不 去?

　　Wǒ bú qù. Nǐ　　　　bāng wǒ mǎi yì běn zázhì, hǎo ma?

　　B：我 不 去。你（　　　）帮 我 买 一 本 杂志, 好 吗?

第三部分

第46-50题

例如：
Xiànzài shì diǎn fēn, tāmen yǐjīng yóule fēnzhōng le.
现在 是11点30分， 他们 已经 游了20 分钟 了。

Tāmen diǎn fēn kāishǐ yóuyǒng.
★ 他们 11 点 10 分 开始 游泳。 (√)

Wǒ huì tiàowǔ, dàn tiào de bù zěnmeyàng.
我 会 跳舞， 但 跳 得 不 怎么样。

Wǒ tiào de fēicháng hǎo.
★ 我 跳 得 非常 好。 (×)

Xuéxiào lí gōngyuán tài yuǎn le, qí chē tài lèi le, wǒmen háishi zuò chē qù ba.
46. 学校 离 公园 太 远 了，骑车太累了，我们 还是 坐 车 去 吧。

Wǒ bù xiǎng zuò chē qù gōngyuán.
★ 我 不 想 坐 车 去 公园。 ( )

Zhè jiàn yīfu bú dà bù xiǎo, bù féi bú shòu, yánsè yě bù shēn bù qiǎn.
47. 这 件 衣服不大不小， 不肥不瘦， 颜色 也不深不浅。

Zhè jiàn yīfu zhèng héshì.
★ 这 件 衣服 正 合适。 ( )

Zhège zhàoxiàngjī bú shì wǒ de, gāngcái Zhāng Dōng zài zhèr, shì bu shì tā de?
48. 这个 照相机 不是我的，刚才 张 东 在这儿,是 不是 他 的?

Zhège zhàoxiàngjī kěnéng shì Zhāng Dōng de.
★ 这个 照相机 可能 是 张 东 的。 ( )

49.

Wǒ bàba hé māma dōu shì dàifu, jiějie shì hùshi, wǒ jīnnián gāng dàxué

我 爸爸 和 妈妈 都 是 大夫， 姐姐 是 护士， 我 今年 刚 大学

bìyè, dāngle yì míng lǎoshī.

毕业，当了 一 名 老师。

Wǒ jiā yígòng yǒu sān kǒu rén, dōu zài yīyuàn gōngzuò.

★ 我家 一共 有 三 口 人， 都 在 医院 工作。 （　　　）

50.

Màikè, nǐ yào qù chāoshì? Máfan nǐ bāng wǒ mǎi yì zhī yágāo hǎo ma?

麦克，你 要 去 超市？ 麻烦 你 帮 我 买 一 支 牙膏 好 吗？

Wǒ yào hé Màikè yìqǐ qù chāoshì.

★ 我 要 和 麦克 一起 去 超市。 （　　　）

第四部分

第 51-55 题

A
Wǒ dùzi hěn bù shūfu.
我 肚子 很 不 舒服。

B
Wǒ méiyǒu gēge jiějie, yě méiyǒu dìdi mèimei.
我 没有 哥哥 姐姐，也 没有 弟弟 妹妹。

C
Jīntiān de bàozhǐ nǐ mǎile méiyǒu?
今天 的 报纸 你 买了 没有？

D
Jīntiān wǒ bù néng chūqu wánr le.
今天 我 不 能 出去 玩儿 了。

E
Tā zài nǎr ne? Nǐ kànjiàn tā le ma?
他 在 哪儿 呢？你 看见 他 了 吗？

F
Nǐ xǐhuan shénme yùndòng?
你 喜欢 什么 运动？

例如：
Tā hái zài jiàoshì li xuéxí.
他 还 在 教室 里 学习。 | E |

51.
Wǒ shì dúshēngnǚ.
我 是 独生女。 | |

52.
Zuótiān nǐ chī shénme le? Kuài chī diǎnr yào ba.
昨天 你 吃 什么 了？ 快 吃 点儿 药 吧。 | |

53.
Hěn duō yùndòng wǒ dōu xǐhuan, zuì xǐhuan dǎ pīngpāngqiú.
很 多 运动 我 都 喜欢，最 喜欢 打 乒乓球。 | |

54.
Wǒ děi zài jiā xiě zuòyè.
我 得 在 家 写 作业。 | |

55.
Hái méiyǒu ne, wǒ xiànzài jiù qù mǎi.
还 没有 呢，我 现在 就 去 买。 | |

第 56-60 题

Wàimiàn yǔ xià de hěn dà.
A　　外面　雨 下 得 很 大。

Jīntiān wǒmen qù Wáng lǎoshī jiā le.
B　　今天　我们 去　王　老师 家 了。

Zhè tào fángzi fángzū yí ge yuè liǎng qiān wǔ.
C　　这 套 房子 房租 一 个 月　两　千　五。

Nǐ kànjiàn Dà Lán le méiyǒu?
D　　你 看见　大 兰 了 没有?

Nǐ de yǎnjìng zěnme le?
E　　你 的　眼镜　怎么 了?

Wáng lǎoshī hé tā àiren duì wǒmen hěn rèqíng.
56.　　王　老师 和 他 爱人 对 我们　很　热情。　　　□

Tā zhèngzài cāochǎng tī zúqiú ne.
57.　他　正在　操场　踢 足球 呢。　　　□

Wǒmen jīntiān bù néng qù gōngyuán le.
58.　我们　今天 不 能 去　公园　了。　　　□

Bù xiǎoxīn diào zài dìshang shuāihuài le.
59.　不 小心　掉 在 地上　摔坏 了。　　　□

Suīrán guìle diǎnr, dànshì fángzi búcuò.
60.　虽然 贵了 点儿, 但是 房子 不错。　　　□

新汉语水平考试

HSK（二级）模拟试卷 *10*

注　意

一、HSK（二级）分两部分：

　　1. 听力（35 题，约 25 分钟）

　　2. 阅读（25 题，20 分钟）

二、**答案先写在试卷上，最后 5 分钟再写在答题卡上。**

三、全部考试约 55 分钟（含考生填写个人信息时间 5 分钟）。

一、听 力

第一部分

第 1–10 题

例如：		√
		×
1.		
2.		
3.		

4.		
5.		
6.		
7.		
8.		
9.		
10.		

第二部分

第 11–15 题

A

B

C

D

E

F

Nǐ xǐhuan shénme yùndòng?
例如：男：你 喜欢 什么 运动？

Wǒ xǐhuan dǎ wǎngqiú.
女：我 喜欢 打 网球。

B

11. ☐

12. ☐

13. ☐

14. ☐

15. ☐

第 16–20 题

A

B

C

D

E

16. ☐

17. ☐

18. ☐

19. ☐

20. ☐

第三部分

第 21-30 题

例如：男：

Xiǎo Wáng, zhèlǐ yǒu jǐ ge bēizi, nǎge shì nǐ de?
小　王，这里　有　几　个　杯子，哪个　是　你　的？

女：

Zuǒbian nàge hóngsè de shì wǒ de.
左边　那个　红色　的　是　我　的。

问：

Xiǎo Wáng de bēizi shì shénme yánsè de?
小　王　的　杯子　是　什么　颜色　的？

	hóngsè	hēisè	báisè
	A 红色 √	B 黑色	C 白色

21.	Yīngyǔ A 英语	Hànyǔ B 汉语	Fǎyǔ C 法语
22.	nián A 1983 年	nián B 1973 年	nián C 1933 年
23.	huǒchēzhàn A 火车站	fēijīchǎng B 飞机场	qìchēzhàn C 汽车站
24.	Fāng xiānsheng A 方　先生	Wàn xiānsheng B 万　先生	Wáng xiānsheng C 王　先生
25.	bù shūfu A 不　舒服	bù zhīdào B 不　知道	xǐhuan ānjìng C 喜欢　安静
26.	nán de chídào le A 男的　迟到　了	nán de méi chídào B 男　的　没　迟到	bú shàngkè le C 不　上课　了
27.	liǎng kuài wǔ A 两　块　五	sān kuài B 三　块	sān kuài wǔ C 三　块　五
28.	gōngyuán lǐmiàn A 公园　里面	kāfēitīng B 咖啡厅	gōngyuán wàimiàn C 公园　外面
29.	tài guì le A 太贵了	tài jiù le B 太旧了	bù xǐhuan le C 不喜欢了
30.	A 7：10	B 7：15	C 7：20

第四部分

第 31-35 题

Qǐng zài zhèr xiě nǐ de míngzi.
例如：女：请 在 这儿 写 你 的 名字。

Shì zhèr ma?
男：是 这儿 吗？

Bú shì, shì zhèr.
女：不 是，是 这儿。

Hǎo, xièxie.
男：好，谢谢。

Nán de yào xiě shénme?
问：男 的 要 写 什么？

A	míngzi 名字 √	B	shíjiān 时间	C	fángjiān hào 房间 号

31. A 女的 (nǚ de)   B 男的 (nán de)   C 都不去 (dōu bú qù)

32. A 电视剧 (diànshìjù)   B 电影 (diànyǐng)   C 动画片 (dònghuàpiàn)

33. A 迟到 (chídào)   B 走 (zǒu)   C 吃早饭 (chī zǎofàn)

34. A 天津 (Tiānjīn)   B 北京 (Běijīng)   C 南京 (Nánjīng)

35. A 下周日 (xià zhōurì)   B 下周一 (xià zhōuyī)   C 这个周一 (zhège zhōuyī)

二、阅 读

第一部分

第 36-40 题

A

B

C

D

E

F

例如：Měi ge xīngqīliù, wǒ dōu qù dǎ lánqiú.
每 个 星期六, 我 都 去 打 篮球。 **C**

36. Jīntiān shì wǒ de shēngrì, māma gěi wǒ mǎile yí jiàn xīn máoyī.
今天 是 我 的 生日, 妈妈 给我 买了 一件 新 毛衣。

37. Tā měitiān zuò gōnggòng qìchē shàngxué.
他 每天 坐 公共 汽车 上学。

38. Míngtiān yí ge dàibiǎotuán lái cānguān, wǒ qù gěi tāmen dāng fānyì.
明天 一个 代表团 来 参观, 我 去 给 他们 当 翻译。

39. Dōu qī diǎn duō le, tā hái méi qǐchuáng ne.
都 七点 多 了, 她 还 没 起床 呢。

40. Wǒ xiǎng mǎi běn《Hàn-Yīng Cídiǎn》, nǐ gēn wǒ yìqǐ qù shūdiàn, hǎo ma?
我 想 买本 《汉英 词典》, 你 跟 我 一起 去 书店, 好 吗?

第二部分

第 41-45 题

        wénhuà   huài   guì   zhǐ   jíhé   jiǎnchá

A 文化   B 坏   C 贵   D 只   E 集合   F 检查

        Zhèr de yángròu hěn hǎochī,　dànshì yě hěn

例如：这儿的 羊肉 很 好吃，但是 也 很（ C ）。

        Nǐ de cídiǎn   le, yòng wǒ de ba.

41. 你的 词典（　　　）了，用 我 的 吧。

        Nǐ bù shūfu?　Kuài qù yīyuàn   yí xià ba.

42. 你 不 舒服？ 快 去 医院（　　　）一 下 吧。

        Wǒ méiyǒu gēge hé jiějie,　yě méiyǒu mèimei,　　　　yǒu yí ge dìdi.

43. 我 没有 哥哥 和 姐姐，也 没有 妹妹，（　　　）有 一 个 弟弟。

        Qǐng dàjiā búyào wàngle   de shíjiān.

44. 请 大家 不要 忘了（　　　）的 时间。

        Nǐ wèi shénme xuéxí Hànyǔ?

45. A：你 为 什么 学习 汉语？

        Yīnwèi wǒ duì Zhōngguó   hěn gǎn xìngqù.

    B：因为 我 对 中国（　　　）很 感 兴趣。

第三部分

第 46-50 题

例如：

Xiànzài shì diǎn fēn, tāmen yǐjīng yóule fēnzhōng le.
现在 是 11 点 30 分, 他们 已经 游了 20 分钟 了。

Tāmen diǎn fēn kāishǐ yóuyǒng.
★ 他们 11 点 10 分 开始 游泳。 (√)

Wǒ huì tiàowǔ, dàn tiào de bù zěnmeyàng.
我 会 跳舞, 但 跳 得 不 怎么样。

Wǒ tiào de fēicháng hǎo.
★ 我 跳 得 非常 好。 (×)

Wǒ juéde Hànyǔ yǔfǎ bú tài nán, tīng hé shuō bǐjiào róngyì, dú hé xiě bǐjiào
46. 我 觉得 汉语 语法 不太 难, 听 和 说 比较 容易, 读 和 写 比较
nán.
难。

Wǒ juéde xuéxí Hànyǔ hěn nán.
★ 我 觉得 学习 汉语 很 难。 ( )

Yéye yǐjīng qīshí duō suì le, tā měitiān duànliàn, hěn shǎo gǎnmào.
47. 爷爷 已经 七十 多 岁 了, 他 每天 锻炼, 很 少 感冒。

Yéye de shēntǐ hěn hǎo.
★ 爷爷 的 身体 很 好。 ( )

Xiǎo yīyuàn de dàifu bù yídìng dōu bù hǎo, wǒmen yīyuàn de dàifu jiù dōu
48. 小 医院 的 大夫 不 一定 都 不 好, 我们 医院 的 大夫 就 都
búcuò.
不错。

Wǒ zài yì jiā dà yīyuàn gōngzuò.
★ 我 在 一 家 大 医院 工作。 ( )

Màikè, nǐ yào qǔ qián xiànzài jiù qù ba, yínháng sì diǎn bàn jiù xiàbān le.

49. 麦克，你 要 取 钱 现在 就 去 吧，银行 四 点 半 就 下班 了。

Xiànzài bú dào sì diǎn bàn.

★ 现在 不 到 四 点 半。 （　　）

Wǒ zhàngfu xiǎng mǎi yí liàng qìchē, kěshì wǒ juéde zuò dìtiě yě hěn

50. 我 丈夫 想 买 一 辆 汽车，可是 我 觉得 坐 地铁 也 很

fāngbiàn.

方便。

Wǒ bù xiǎng mǎi qìchē.

★ 我 不 想 买 汽车。 （　　）

第四部分

第 51–55 题

A   Jiějie yǒu yí ge nánpéngyou.
姐姐 有 一 个 男朋友。

B   Nǐ zhù de fángzi zhōuwéi huánjìng zěnmeyàng?
你 住 的 房子 周围 环境 怎么样?

C   Tā zài nǎr ne? Nǐ kànjiàn tā le ma?
他 在 哪儿 呢? 你 看见 他 了 吗?

D   Zhè běn shū nǐ xuéwánle méiyǒu?
这 本 书 你 学完了 没有?

E   Nǐ kàn, zhè shì wǒ quán jiā de zhàopiàn.
你 看, 这 是 我 全 家 的 照片。

F   Shèngdàn Jié dào le.
圣诞 节 到 了。

例如： Tā hái zài jiàoshì li xuéxí.
他 还 在 教室 里 学习。   C

51. Nǐmen zhēn shì xìngfú de yì jiā.
你们 真 是 幸福 的 一 家。   ☐

52. Tā zài guówài liúxué ne.
他 在 国外 留学 呢。   ☐

53. Wǒ shōudàole hěn duō lǐwù, hěn kāixīn.
我 收到了 很 多 礼物, 很 开心。   ☐

54. Hěn hǎo, jiāotōng yě hěn fāngbiàn.
很 好, 交通 也 很 方便。   ☐

55. Hái méi xuéwán ne, cái xuédào dì kè.
还 没 学完 呢, 才 学到 第10 课。   ☐

第 56-60 题

Wáng lǎoshī, jīntiān wǒ xiǎng qǐng nín gěi wǒ fǔdǎo yí xià Hànyǔ.
A　王 老师，今天 我 想 请 您 给 我 辅导 一下 汉语。

Tā shì wǒ de dàxué tóngxué.
B　她 是 我 的 大学 同学。

Jiàqī nǐ yǒu shénme dǎsuàn?
C　假期 你 有 什么 打算？

Zài Zhōngguó wǒ měitiān shēnghuó de dōu hěn yúkuài.
D　在 中国 我 每天 生活 得 都 很 愉快。

Míngtiān wǒ yào péi yí ge wàimào dàibiǎotuán qù Shànghǎi cānguān.
E　明天 我 要 陪 一个 外贸 代表团 去 上海 参观。

Wǒ xuéxí Hànyǔ, hái yǒu hěn duō hǎo péngyou.
56.　我 学习 汉语，还 有 很 多 好 朋友。 □

Xíng, xiàwǔ yī diǎn bàn nǐ lái wǒ de bàngōngshì ba.
57.　行，下午 一点 半 你 来 我 的 办公室 吧。 □

Bìyè yǐhòu wǒmen jiù méiyǒu jiànguo miàn.
58.　毕业 以后 我们 就 没有 见过 面。 □

Wǒmen zuò fēijī qù, xià ge xīngqīliù wǎnshang huílai.
59.　我们 坐 飞机 去，下 个 星期六 晚上 回来。 □

Wǒ xiǎng xiān dào Zhōngguó nánfāng lǚxíng, ránhòu huí guó.
60.　我 想 先 到 中国 南方 旅行，然后 回 国。 □

听力文本 Listening Script

HSK（二级）模拟试卷 1

（音乐，30秒，渐弱）

Dàjiā hǎo! Huānyíng cānjiā èr jí kǎoshì.
大家 好！ 欢迎 参加 HSK（二级）考试。

Dàjiā hǎo! Huānyíng cānjiā èr jí kǎoshì.
大家 好！ 欢迎 参加 HSK（二级）考试。

Dàjiā hǎo! Huānyíng cānjiā èr jí kǎoshì.
大家 好！ 欢迎 参加 HSK（二级）考试。

èr jí tīnglì kǎoshì fēn sì bùfen, gòng tí.
HSK（二级）听力 考试 分 四 部分， 共 35 题。

Qǐng dàjiā zhùyì, tīnglì kǎoshì xiànzài kāishǐ.
请 大家 注意， 听力 考试 现在 开始。

Dì-yī bùfen
第一 部分

Yígòng ge tí, měi tí tīng liǎng cì.
一共 10 个 题，每 题 听 两 次。

Lìrú： Wǒmen jiā yǒu sān kǒu rén.
例如： 我们 家 有 三 口 人。

Wǒ měitiān zuò gōnggòng qìchē qù shàngbān.
我 每天 坐 公共 汽车 去 上班。

Xiànzài kāishǐ dì tí:
现在 开始 第 1 题：

Wǒ de diànnǎo huài le.
1. 我 的 电脑 坏 了。

Xīngqīrì wǒmen qù yóuyǒng.
2. 星期日 我们 去 游泳。

Tā míngtiān zuò fēijī qù Shànghǎi.
3. 她 明天 坐 飞机 去 上海。

Tā hěn zǎo jiù qǐchuáng kāishǐ xuéxí le.
4. 她 很 早 就 起床 开始 学习 了。

Zhāng xiānsheng nín hǎo, jiàndào nín hěn gāoxìng.
5. 张 先生 您 好, 见到 您 很 高兴。

Wǒ nǚpéngyou xǐhuan méiguihuā.
6. 我 女朋友 喜欢 玫瑰花。

Qǐng dàjiā míngtiān xiàwǔ yī diǎn lái jiàoshì.
7. 请 大家 明天 下午 一 点 来 教室。

Jīntiān shì wǒ qīzi de shēngrì, zhè shì wǒ sònggěi tā de shēngrì lǐwù.
8. 今天 是 我 妻子的 生日, 这是 我 送给 她 的 生日 礼物。

Míngtiān wǒmen xiǎng qù shāngdiàn mǎi yí jiàn dàyī.
9. 明天 我们 想 去 商店 买 一 件 大衣。

Xiàbān yǐqián, wǒmen yào zuòwán zhèxiē gōngzuò.
10. 下班 以前, 我们 要 做完 这些 工作。

Dì-èr bùfen
第二 部分

Yígòng   ge tí, měi tí tīng liǎng cì.
一共 10 个题, 每 题 听 两 次。

Lìrú:
例如:

Nǐ xǐhuan shénme yùndòng?
男: 你 喜欢 什么 运动?

Wǒ xǐhuan dǎ wǎngqiú.
女: 我 喜欢 打 网球。

Xiànzài kāishǐ dì   dào   tí:
现在 开始 第 11 到 15 题:

11.

Yào hē shuǐ ma?
男: 要 喝 水 吗?

Hǎo de, xièxie.
女: 好 的, 谢谢。

12.

Jīntiān tiānqì zěnmeyàng?
男: 今天 天气 怎么样?

Wàimiàn xià yǔ le, chūqu yào dài sǎn.
女: 外面 下 雨 了, 出去 要 带 伞。

13.

Nǐ měitiān wǎnshang jǐ diǎn shuìjiào?
男：你 每天 晚上 几点 睡觉？

Wǒ měitiān wǎnshang shí diǎn shuìjiào.
女：我 每天 晚上 十点 睡觉。

14.

Wǒmen xiànzài qù nǎr?
男：我们 现在 去 哪儿？

Wǒmen xiànzài qù Tiāntán.
女：我们 现在 去 天坛。

15.

Zuótiān gēn tā yìqǐ zǒu de nàge nǚháir shì shéi?
男：昨天 跟 他 一起 走 的 那个 女孩儿 是 谁？

Nà shì tā de nǚpéngyou.
女：那 是 他 的 女朋友。

Xiànzài kāishǐ dì dào tí:
现在 开始 第 16 到 20 题：

16.

Tā zài nàr zuò shénme ne?
男：她 在 那儿 做 什么 呢？

Tā kàn diànshì ne.
女：她 看 电视 呢。

17.

Yīshēng zěnme shuō?
男：医生 怎么 说？

Yīshēng shuō wǒ yīnggāi chī yào, duō xiūxi.
女：医生 说 我 应该 吃 药，多 休息。

18.

Nǐ zuì xǐhuan chī nǎ dào cài?
男：你 最 喜欢 吃 哪道 菜？

Wǒ zuì xǐhuan chī gōngbǎo jīdīng.
女：我 最 喜欢 吃 宫保 鸡丁。

19.

Zhè běn shū hěn hǎokàn, wǒ fēicháng xǐhuan.

男：这 本 书 很 好看，我 非常 喜欢。

Nà wǒ jiù bǎ tā sònggěi nǐ ba.

女：那 我 就 把 它 送给 你 吧。

20.

Zhè zhǒng píngguǒ hěn tián.

男：这 种 苹果 很 甜。

Shì ma? Wǒ mǎi jǐ ge.

女：是 吗？我 买 几 个。

Dì-sān bùfen
第三 部分

Yígòng   ge tí, měi tí tīng liǎng cì.
一共 10 个 题，每 题 听 两 次。

Lìrú:
例如：

Xiǎo Wáng, zhèlǐ yǒu jǐ ge bēizi, nǎge shì nǐ de?

男：小 王， 这里 有 几 个 杯子，哪个 是 你 的？

Zuǒbian nàge hóngsè de shì wǒ de.

女：左边 那个 红色 的 是 我 的。

Xiǎo Wáng de bēizi shì shénme yánsè de?

问：小 王 的 杯子 是 什么 颜色 的？

Xiànzài kāishǐ dì   tí:
现在 开始 第 21 题：

21.

Wèi, qǐngwèn Wáng lǎoshī zài ma?

男：喂， 请问 王 老师 在 吗？

Tā zhèngzài kāihuì, nín bàn ge xiǎoshí yǐhòu zài dǎ, hǎo ma?

女：他 正在 开会，您 半 个 小时 以后 再 打，好 吗？

Wáng lǎoshī zài zuò shénme?

问：王 老师 在 做 什么？

22.

女： Tīngshuō yóujú jiù zài fùjìn, wèi shénme méi kànjiàn ne?
听说 邮局 就 在 附近，为 什么 没 看见 呢?

男： Bié zháojí, wǒmen zài kànkan dìtú.
别 着急， 我们 再 看看 地图。

问： Tāmen yào qù nǎr?
他们 要 去 哪儿?

23.

男： Nǐ měitiān dōu qí zìxíngchē shàngxiàbān?
你 每天 都 骑 自行车 上下班?

女： Shì a, hěn fāngbiàn, hái kěyǐ duànliàn shēntǐ.
是 啊， 很 方便， 还 可以 锻炼 身体。

问： nǚ de měitiān zěnme shàngxiàbān?
女 的 每天 怎么 上下班?

24.

男： Xiǎo Lǐ, nǐ de péngyou zuótiān zěnme méi lái?
小李， 你的 朋友 昨天 怎么 没 来?

女： Tā jīntiān yǒu kǎoshì, zuótiān yìzhí zài fùxí.
他 今天 有 考试， 昨天 一直 在 复习。

问： Xiǎo Lǐ de péngyou jīntiān yào zuò shénme?
小李的 朋友 今天 要 做 什么?

25.

男： Wǒ qù fángjiān zhǎo nǐ, nǐ bú zài.
我 去 203 房间 找 你，你 不 在。

女： Wǒ bú zhù wǒ zhù zài fángjiān.
我 不 住 203，我 住 在 204 房间。

问： Nǚ de zhù zài nǎge fángjiān?
女 的 住 在 哪个 房间?

26.

男： Yǐjīng shí diǎn le, chē zěnme hái bù lái?
已经 十 点 了，车 怎么 还 不 来?

女： Bié zháojí, hái yǒu shí fēnzhōng ne.
别 着急， 还 有 十 分钟 呢。

问： Chē jǐ diǎn dào?
车 几 点 到?

27.

Zuótiān wǒmen zài Chángchéng shang kàndào hěn duō rén.
男： 昨天 我们 在 长城 上 看到 很 多 人。

Zhège jìjié nàr de rén hěn duō.
女： 这个 季节 那儿 的 人 很 多。

Nán de zuótiān qù nǎr le?
问： 男 的 昨天 去 哪儿 了?

28.

Dào le, zhè jiù shì wǒ jiā, qǐng jìn.
女： 到 了，这 就 是 我 家，请 进。

Nǐ jiā kě zhēn dà.
男： 你 家 可 真 大。

Nán de juéde nǚ de de jiā zěnmeyàng?
问： 男 的 觉得 女 的 的 家 怎么样?

29.

Jīntiān wǒ chuān zhè jiàn chènshān shàngbān zěnmeyàng?
男： 今天 我 穿 这件 衬衫 上班 怎么样?

Zhè jiàn yánsè bú tài hǎo, háishi chuān nà jiàn ba.
女： 这 件 颜色 不 太 好，还是 穿 那 件 吧。

Nǚ de ràng nán de gàn shénme?
问： 女 的 让 男 的 干 什么?

30.

Yīshēng shuō nǐ zài zhù jǐ tiān jiù néng chūyuàn le.
女： 医生 说 你 再 住 几 天 就 能 出院 了。

Zhēn xīwàng kuài diǎnr chūyuàn.
男： 真 希望 快 点儿 出院。

Nán de zěnme le?
问： 男 的 怎么 了?

Dì-sì bùfen
第四 部分

Yígòng ge tí, měi tí tīng liǎng cì.
一共 5 个 题，每题 听 两 次。

Lìrú:
例如：

　Qǐng zài zhèr xiě nǐ de míngzi.
女： 请 在 这儿 写 你 的 名字。

　Shì zhèr ma?
男： 是 这儿 吗？

　Bú shì, shì zhèr.
女： 不 是，是 这儿。

　Hǎo, xièxie.
男： 好， 谢谢。

　Nán de yào xiě shénme?
问： 男 的 要 写 什么？

Xiànzài kāishǐ dì 　 tí:
现在 开始 第 31 题：

31.

　Zhāng lǎoshī, zhàopiàn shang de rén shì nín ma?
男： 张 老师， 照片 上 的 人 是 您 吗？

　Bú shì, nà shì wǒ nǚ'ér.
女： 不 是， 那 是 我 女儿。

　Nín de nǚ'ér gēn nín hěn xiàng.
男： 您 的 女儿 跟 您 很 像。

　Tā bǐ wǒ piàoliang.
女： 她 比 我 漂亮。

　Zhàopiàn shang de rén shì shéi?
问： 照片 上 的 人 是 谁？

32.

　Nǐ hǎo, qǐngwèn yínháng zěnme zǒu?
男： 你 好， 请问 银行 怎么 走？

　Yánzhe zhè tiáo lù yìzhí zǒu jiù dào le.
女： 沿着 这 条 路 一直 走 就 到 了。

　Xièxie, dàgài xūyào duō cháng shíjiān?
男： 谢谢，大概 需要 多 长 时间？

　Shí fēnzhōng.
女： 十 分钟。

　Nán de yào qù nǎr?
问： 男 的 要 去 哪儿？

33.

男： Wǎnshang wǒmen yìqǐ kàn diànyǐng zěnmeyàng?
晚上 我们 一起 看 电影 怎么样?

女： Hǎo a, wǒ hěn jiǔ méi kàn diànyǐng le.
好啊, 我 很 久 没 看 电影 了。

男： Nà wǎnfàn hòu wǒ lái zhǎo nǐ.
那 晚饭 后 我 来 找 你。

女： Hǎo de, yíhuìr jiàn.
好 的, 一会儿 见。

问： Tāmen jīnwǎn yào zuò shénme?
他们 今晚 要 做 什么?

34.

男： Zhè jiàn yīfu búcuò, wǒ néng shìshi ma?
这 件 衣服 不错, 我 能 试试 吗?

女： Kěyǐ, zhè shì zhōng hào de, nín shìshi ba.
可以, 这是 中 号 的, 您 试试 吧。

男： Zhè jiàn yǒudiǎnr xiǎo, yǒu dà hào de ma?
这 件 有点儿 小, 有 大 号 的 吗?

女： Dà hào de shì hēisè de, kěyǐ ma?
大 号 的 是 黑色 的, 可以 吗?

男： Kěyǐ.
可以。

问： Nán de chuān yīfu de hàomǎ shì:
男 的 穿 衣服 的 号码 是:

35.

男： Zhōumò nǐ yìbān zuò shénme?
周末 你 一般 做 什么?

女： Zài jiā xiūxi, kànkan shū, shàngshang wǎng, yǒu shíhou yě chūqu zǒuzou.
在家 休息, 看看 书, 上上 网, 有 时候 也 出去 走走。

男： Zhège zhōuliù nǐ yǒu shénme dǎsuàn?
这个 周六 你 有 什么 打算?

女： Gēn péngyou yìqǐ qù gōngyuán.
跟 朋友 一起去 公园。

问： Nǚ de zhège zhōuliù zuò shénme?
女 的 这个 周六 做 什么?

Tīnglì kǎoshì xiànzài jiéshù.
听力 考试 现在 结束。

HSK（二级）模拟试卷 2

（音乐，30秒，渐弱）

Dàjiā hǎo! Huānyíng cānjiā　　　　èr jí　kǎoshì.
大家 好！　欢迎　 参加 HSK（二级）考试。

Dàjiā hǎo! Huānyíng cānjiā　　　　èr jí　kǎoshì.
大家 好！　欢迎　 参加 HSK（二级）考试。

Dàjiā hǎo! Huānyíng cānjiā　　　　èr jí　kǎoshì.
大家 好！　欢迎　 参加 HSK（二级）考试。

　　　　 èr jí　 tīnglì kǎoshì fēn sì bùfen, gòng　　　 tí.
HSK（二级）听力 考试 分 四 部分，　共　 35 题。

Qǐng dàjiā zhùyì,　 tīnglì kǎoshì xiànzài kāishǐ.
请 大家 注意，听力 考试　 现在 开始。

Dì-yī bùfen
第一 部分

Yígòng　　 ge tí, měi tí tīng liǎng cì.
一共 10 个 题，每 题 听 两 次。

Lìrú：　 Wǒmen jiā yǒu sān kǒu rén.
例如：　我们　 家 有 三　 口 人。

　　　　 Wǒ měitiān zuò gōnggòng qìchē qù shàngbān.
　　　　 我　 每天 坐　 公共　 汽车 去　 上班。

Xiànzài kāishǐ dì　　 tí：
现在　 开始 第 1 题：

　　　　 Wǒ míngtiān yào cānjiā péngyou de hūnlǐ.
1. 我　 明天　 要 参加　 朋友　 的 婚礼。

　　　　 Zhāng Lì shuō tā jiā de kèrén shǎo, zhǐ yǒu sān ge rén.
2. 张　 立 说 她 家 的 客人　 少，　只 有 三 个 人。

　　　　 Wǒmen de xíngli tài duō le.
3. 我们　 的 行李 太 多 了。

　　　　 Chūn Jié de shíhou hěn duō jiā mén shang dōu yǒu "fú" zì.
4. 春 节 的 时候 很 多 家 门　 上 都 有 "福" 字。

Zuótiān Mǎlì qù shāngdiàn mǎile yì tái diànnǎo.
5. 昨天 玛丽 去 商店 买了一 台 电脑。

Xīn tóngxué dōu shuō wǒmen de xuéxiào hěn piàoliang.
6. 新 同学 都 说 我们 的 学校 很 漂亮。

Tā xiànzài zài chūzūchē shang.
7. 她 现在 在 出租车 上。

Měinián dōngtiān wǒ dōu qù huáxuě.
8. 每年 冬天 我 都 去 滑雪。

Tā pīngpāngqiú dǎ de zhēn hǎo.
9. 他 乒乓球 打得 真 好。

Wǒ yíhuìr zài gěi nǐ dǎ diànhuà.
10. 我 一会儿 再 给 你 打 电话。

Dì-èr bùfen
第二 部分

Yígòng ge tí, měi tí tīng liǎng cì.
一共 10 个题，每题 听 两 次。

Lìrú:
例如：

Nǐ xǐhuan shénme yùndòng?
男：你 喜欢 什么 运动？

Wǒ xǐhuan dǎ wǎngqiú.
女：我 喜欢 打 网球。

Xiànzài kāishǐ dì dào tí:
现在 开始 第 11 到 15 题：

11.

Zhù nǐ shēngrì kuàilè!
女：祝 你 生日 快乐！

Xièxie.
男：谢谢。

12.

Wèi, nín hǎo, qǐngwèn shì Wáng xiānsheng ma?
女：喂，您好，请问 是 王 先生 吗？

Wǒ shì, qǐngwèn nín shì nǎ wèi?
男：我 是，请问 您 是 哪 位？

13.

男：
Zhè huār piàoliang ma?
这 花儿 漂亮 吗?

女：
Piàoliang, zhè shì wǒ zuì xǐhuan de huār.
漂亮, 这 是 我 最 喜欢 的 花儿。

14.

男：
Nǐ xǐhuan zhōngcān háishi xīcān?
你 喜欢 中餐 还是 西餐?

女：
Wǒ juéde zhōngcān gèng hǎochī.
我 觉得 中餐 更 好吃。

15.

男：
Zěnme le? Bù shūfu ma?
怎么 了? 不 舒服 吗?

女：
Tā kěnéng fāshāo le, jīntiān bù néng qù shàngkè le.
她 可能 发烧 了, 今天 不 能 去 上课 了。

Xiànzài kāishǐ dì 16 dào 20 tí:
现在 开始 第 16 到 20 题:

16.

男：
Nǐ bìyè yǐhòu xiǎng zuò shénme?
你 毕业 以后 想 做 什么?

女：
Wǒ xiǎng dāng jiàoshī.
我 想 当 教师。

17.

男：
Māma mǎi yuèbing le?
妈妈 买 月饼 了?

女：
Shì a, jīntiān shì Zhōngqiū Jié.
是 啊, 今天 是 中秋 节。

18.

男：
Zhè shuāng xié yǒudiǎnr xiǎo, néng bu néng huàn yì shuāng?
这 双 鞋 有点儿 小, 能 不 能 换 一 双?

女：
Méi wèntí.
没 问题。

19.

男：Wǒ bú huì yòng kuàizi chīfàn.
我 不 会 用 筷子 吃饭。

女：Méi guānxi, wǒ jiāo nǐ.
没 关系，我 教 你。

20.

女：Nǐ zǒu lóutī bú lèi ma?
你 走 楼梯 不 累 吗?

男：Shì a, wǒ yě juéde hěn lèi.
是 啊，我 也 觉得 很 累。

Dì-sān bùfen
第三 部分

Yígòng   ge tí, měi tí tīng liǎng cì.
一共 10 个 题，每 题 听 两 次。

Lìrú：
例如：

男：Xiǎo Wáng, zhèlǐ yǒu jǐ ge bēizi, nǎge shì nǐ de?
小 王， 这里 有 几 个 杯子，哪个 是 你 的?

女：Zuǒbian nàge hóngsè de shì wǒ de.
左边 那个 红色 的 是 我 的。

问：Xiǎo Wáng de bēizi shì shénme yánsè de?
小 王 的 杯子 是 什么 颜色 的?

Xiànzài kāishǐ dì   tí:
现在 开始 第 21 题:

21.

男：Qǐngwèn xuéxiào shénme shíhou fàngjià?
请问 学校 什么 时候 放假?

女：Yī yuè fàng hánjià, qī yuè fàng shǔjià.
一 月 放 寒假， 七 月 放 暑假。

问：Xuéxiào shénme shíhou fàng shǔjià?
学校 什么 时候 放 暑假?

22.

女： Bié kàn diànshì le, kuài lái chīfàn ba.
别 看 电视 了，快 来 吃饭 吧。

男： Zhīdào le, wǒ kànkan tiānqì zěnmeyàng.
知道 了，我 看看 天气 怎么样。

问： Nán de xiǎng kàn shénme?
男 的 想 看 什么？

23.

男： Wǒ měitiān zǎoshang dōu pǎobù.
我 每天 早上 都 跑步。

女： Wǒ gèng xǐhuan sànbù, pǎobù tài lèi le.
我 更 喜欢 散步，跑步 太 累 了。

问： Nán de měitiān dōu zuò shénme?
男 的 每天 都 做 什么？

24.

男： Wáng lǎobǎn, zuìjìn shēngyi zěnmeyàng?
王 老板，最近 生意 怎么样？

女： Kèrén hěn shǎo, nǐ nàr ne?
客人 很 少，你 那儿 呢？

问： Nǚ de zuìjìn shēngyi zěnmeyàng?
女 的 最近 生意 怎么样？

25.

男： Tīngshuō nǐ shì zhéxué xì de xīnshēng?
听说 你 是 哲学 系的 新生？

女： Wǒ hěn xǐhuan zhéxué, búguò wǒ shì wénxué xì de xuésheng.
我 很 喜欢 哲学，不过 我 是 文学 系 的 学生。

问： Nǚ de de zhuānyè shì shénme?
女 的 的 专业 是 什么？

26.

男： Běijīng de dōngtiān zhēn lěng a!
北京 的 冬天 真 冷 啊！

女： Shěnyáng de dōngtiān bǐ Běijīng lěng.
沈阳 的 冬天 比 北京 冷。

问： Nǎlǐ de dōngtiān gèng lěng?
哪里 的 冬天 更 冷？

27.

Nín hái bú dào　　suì ba?
男：您 还 不 到 60 岁 吧?

Wǒ jīnnián dōu　　le.
女：我 今年 都 67 了。

Nǚ de duō dà niánjì le?
问：女 的 多 大 年纪 了?

28.

Yǐjīng bā diǎn le, bǐsài zěnme hái bù kāishǐ?
男：已经 八 点 了，比赛 怎么 还 不 开始?

Hái yǒu bàn ge xiǎoshí ne.
女：还 有 半 个 小时 呢。

Bǐsài shénme shíhou kāishǐ?
问：比赛 什么 时候 开始?

29.

Nín chuān zhè jiàn dàyī hěn hǎokàn.
男：您 穿 这件 大衣 很 好看。

Wǒ juéde yàngzi hái xíng, kěshì yánsè bú tài hǎo.
女：我 觉得 样子 还 行，可是 颜色 不 太 好。

Nǚ de duì shénme bù mǎnyì?
问：女 的 对 什么 不 满意?

30.

Nǐ nǎr bù shūfu?
男：你 哪儿 不 舒服?

Gāngcái yìzhí tóu téng, zhèngyào qù yīyuàn ne.
女：刚才 一直 头 疼，正要 去 医院 呢。

Nǚ de xiànzài yào qù nǎr?
问：女 的 现在 要 去 哪儿?

Dì-sì bùfen
第四 部分

Yígòng　　ge tí, měi tí tīng liǎng cì.
一共 5 个 题，每题 听 两 次。

Lìrú:
例如：

Qǐng zài zhèr xiě nǐ de míngzi.
女： 请 在 这儿 写 你 的 名字。

Shì zhèr ma?
男： 是 这儿 吗？

Bú shì, shì zhèr.
女： 不 是，是 这儿。

Hǎo, xièxie.
男： 好， 谢谢。

Nán de yào xiě shénme?
问： 男 的 要 写 什么？

Xiànzài kāishǐ dì   tí:
现在 开始 第 31 题：

31.

Zhè jiàn yīfu zhēn piàoliang, qǐngwèn duōshao qián?
女： 这 件 衣服 真 漂亮， 请问 多少 钱？

yuán.
男： 200 元。

Yǒudiǎnr guì, néng bu néng piányi yìxiē?
女： 有点儿 贵，能 不 能 便宜 一些？

Nín gěi   ba.
男： 您 给 180 吧。

Hǎo, gěi wǒ yí jiàn xiǎo hào de.
女： 好，给 我 一 件 小 号 的。

Nǚ de mǎi zhè jiàn yīfu huāle duōshao qián?
问： 女 的 买 这 件 衣服 花了 多少 钱？

32.

Tīngshuō zhè jiā fàndiàn de kǎoyā hěn yǒumíng.
男： 听说 这 家 饭店 的 烤鸭 很 有名。

Kǎoyā tài guì le, chī diǎnr biéde ba.
女： 烤鸭 太 贵 了，吃 点儿 别的 吧。

Nà qù chī jiǎozi zěnmeyàng?
男： 那 去 吃 饺子 怎么样？

Hǎo, zánmen zǒu ba.
女： 好， 咱们 走 吧。

Tāmen qù chī shénme?
问： 他们 去 吃 什么？

33.

男: Wǒ bǎ diànnǎo là zài sùshè li le.
我 把 电脑 落在 宿舍 里了。

女: Nǐ qù ná ba, wǒ zài zhèr děng nǐ.
你 去 拿 吧, 我 在 这儿 等 你。

男: Búyòng le, nǐ xiān qù jiàoshì ba.
不用 了,你 先 去 教室 吧。

女: Nà hǎo ba, yíhuìr jiàn.
那 好 吧,一会儿 见。

男: Yíhuìr jiàn.
一会儿 见。

问: Nán de de diànnǎo zài nǎr?
男 的 的 电脑 在 哪儿?

34.

男: Wǒ gāngcái fàng zài zhèr de shūbāo ne? Nǐ kànjiàn le ma?
我 刚才 放 在 这儿 的 书包 呢? 你 看见 了 吗?

女: Méi kànjiàn, shénme yánsè de?
没 看见, 什么 颜色 的?

男: Hēisè de, lǐmiàn yǒu wǒ xīn mǎi de Hànyǔ shū.
黑色 的,里面 有 我 新 买 的 汉语 书。

女: Wǒ bāng nǐ zhǎozhao ba.
我 帮 你 找找 吧。

问: Nán de zài zhǎo shénme?
男 的 在 找 什么?

35.

男: Tīngshuō nǐ hěn xiǎng kàn zhège yǎnchū, mǎidào piào le ma?
听说 你 很 想 看 这个 演出, 买到 票 了 吗?

女: Hái méi qù mǎi ne.
还 没 去 买 呢。

男: Wǒ duō mǎile yì zhāng piào, zánmen yìqǐ qù ba.
我 多 买 了 一 张 票, 咱们 一起 去 吧。

女: Tài hǎo le, xièxie nǐ.
太 好 了,谢谢 你。

问: Nán de shì shénme yìsi?
男 的 是 什么 意思?

Tīnglì kǎoshì xiànzài jiéshù.
听力 考试 现在 结束。

HSK（二级）模拟试卷 3

（音乐，30 秒，渐弱）

Dàjiā hǎo! Huānyíng cānjiā　　　èr jí　kǎoshì.
大家　好！　欢迎　参加 HSK（二级）考试。

Dàjiā hǎo! Huānyíng cānjiā　　　èr jí　kǎoshì.
大家　好！　欢迎　参加 HSK（二级）考试。

Dàjiā hǎo! Huānyíng cānjiā　　　èr jí　kǎoshì.
大家　好！　欢迎　参加 HSK（二级）考试。

　　　　èr jí　tīnglì kǎoshì fēn sì bùfen, gòng　　tí.
HSK（二级）听力　考试　分 四　部分，　共 35 题。

Qǐng dàjiā zhùyì,　tīnglì kǎoshì xiànzài kāishǐ.
请　大家　注意，听力　考试　现在　开始。

Dì-yī bùfen
第一 部分

Yígòng　　ge tí, měi tí tīng liǎng cì.
一共 10 个 题，每 题 听 两 次。

Lìrú:　　Wǒmen jiā yǒu sān kǒu rén.
例如：　我们　家 有　三　口　人。

　　　　Wǒ měitiān zuò gōnggòng qìchē qù shàngbān.
　　　　我　每天　坐　公共　汽车　去　上班。

Xiànzài kāishǐ dì　　tí:
现在　开始 第 1 题：

Bàba mǎile yí kuài xīn shǒubiǎo.
1. 爸爸 买了 一 块 新　手表。

　　Tāmen tiàowǔ tiào de　hěn kāixīn.
2. 他们　跳舞 跳　得　很　开心。

　　Rénmen zài dǎ tàijíquán.
3. 人们　在 打　太极拳。

　　Wǒ ài hē píjiǔ.
4. 我 爱 喝 啤酒。

Wǒ de bàba māma dōu shì lǜshī.
5. 我 的 爸爸 妈妈 都 是 律师。

Wǒ mǎile yí shù huār sònggěi tā.
6. 我 买了 一 束 花儿 送给 她。

Tā de nǚ'ér yǐjīng qī suì le, gāng shàng xiǎoxué yī niánjí.
7. 他 的 女儿 已经 七 岁 了, 刚 上 小学 一 年级。

Jīntiān tiānqì bù hǎo, fēijī bú néng qǐfēi.
8. 今天 天气 不 好, 飞机 不 能 起飞。

Wǒ yào qù yóujú jì yì fēng xìn.
9. 我 要 去 邮局 寄 一 封 信。

Jiějie hé dìdi、mèimei dōu hěn shēngqì.
10. 姐姐 和 弟弟、妹妹 都 很 生气。

Dì-èr bùfen
第二 部分

Yígòng ge tí, měi tí tīng liǎng cì.
一共 10 个 题, 每 题 听 两 次。

Lìrú:
例如:

Nǐ xǐhuan shénme yùndòng?
男: 你 喜欢 什么 运动?

Wǒ xǐhuan dǎ wǎngqiú.
女: 我 喜欢 打 网球。

Xiànzài kāishǐ dì dào tí:
现在 开始 第 11 到 15 题:

11.

Zhè jiàn yīfu shì nǐ xīn mǎi de ma?
男: 这 件 衣服 是 你 新 买 的 吗?

Shì, nǐ juéde zěnmeyàng?
女: 是, 你 觉得 怎么样?

12.

Hěn wǎn le, huíqu xiūxi ba.
男: 很 晚 了, 回去 休息 吧。

Shì a, Xiǎo Wáng tāmen dōu shuìzháo le.
女: 是 啊, 小 王 他们 都 睡着 了。

13.

男： Zhè liàng hóngsè de chē shì nǐ de ma?
这 辆 红色 的 车 是 你 的 吗?

女： Shì de, jiù shì zhè liàng, shàng chē ba.
是 的，就 是 这 辆， 上 车 吧。

14.

男： Míngtiān nǐ gēn shéi qù pá shān?
明天 你 跟 谁 去 爬 山?

女： Gēn tóngwū yìqǐ qù.
跟 同屋 一起 去。

15.

男： Nǐ xǐhuan māo ma?
你 喜欢 猫 吗?

女： Wǒ jiā yǒu yì zhī.
我 家 有 一 只。

Xiànzài kāishǐ dì 16 dào 20 tí:
现在 开始 第 16 到 20 题：

16.

男： Míngtiān wǒmen zěnme qù jīchǎng?
明天 我们 怎么 去 机场?

女： Wǒmen dǎchē qù.
我们 打车 去。

17.

男： Zuótiān de páiqiú bǐsài shéi yíng le?
昨天 的 排球 比赛 谁 赢 了?

女： Duìfāng yíng le.
对方 赢 了。

18.

男： Nǐ de jiějie shì zuò shénme gōngzuò de?
你 的 姐姐 是 做 什么 工作 的?

女： Tā shì yì míng jīngjù yǎnyuán.
她 是 一 名 京剧 演员。

19.

男： Nǐ měitiān jǐ diǎn chī wǎnfàn?
你 每天 几点 吃 晚饭？

女： Wǒ měitiān liù diǎn chī wǎnfàn.
我 每天 六点 吃 晚饭。

20.

男： Nǐ dǎsuàn shénme shíhou jiéhūn?
你 打算 什么 时候 结婚？

女： Jīnnián shí yuè.
今年 十月。

Dì-sān bùfen
第三 部分

Yígòng ge tí, měi tí tīng liǎng cì.
一共 10 个题，每 题 听 两次。

Lìrú:
例如：

男： Xiǎo Wáng, zhèlǐ yǒu jǐ ge bēizi, nǎge shì nǐ de?
小 王， 这里 有几个 杯子，哪个 是 你 的？

女： Zuǒbian nàge hóngsè de shì wǒ de.
左边 那个 红色 的是 我 的。

问： Xiǎo Wáng de bēizi shì shénme yánsè de?
小 王 的杯子是 什么 颜色 的？

Xiànzài kāishǐ dì tí:
现在 开始 第 21 题：

21.

男： Nǐ ài chī shénme Zhōngguó cài?
你 爱 吃 什么 中国 菜？

女： Dōu kěyǐ, búguò bú tài xǐhuan xiāngcài.
都 可以，不过 不太 喜欢 湘菜。

问： Nǚ de bú ài chī nǎ zhǒng cài?
女 的不 爱 吃 哪 种 菜？

22.

男： 最近 这 几天 一直 下雨。
Zuìjìn zhè jǐ tiān yìzhí xià yǔ.

女： 是啊，不过 明天 是 晴天。
Shì a, búguò míngtiān shì qíngtiān.

问： 明天 天气 怎么样？
Míngtiān tiānqì zěnmeyàng?

23.

男： 我 今年 20 岁，你 呢？
Wǒ jīnnián suì, nǐ ne?

女： 我 比 你 大 三 岁。
Wǒ bǐ nǐ dà sān suì.

问： 女 的 今年 多 大 了？
Nǚ de jīnnián duō dà le?

24.

男： 听说 王 老师 是 你们 的 老师，她 教 什么？
Tīngshuō Wáng lǎoshī shì nǐmen de lǎoshī, tā jiāo shénme?

女： 她 教 我们 语法。
Tā jiāo wǒmen yǔfǎ.

问： 王 老师 教 什么？
Wáng lǎoshī jiāo shénme?

25.

男： 我 想 借 一本 学习 汉字 的 书。
Wǒ xiǎng jiè yì běn xuéxí Hànzì de shū.

女： 汉字 书 在 第二 排。
Hànzì shū zài dì-èr pái.

问： 他们 现在 在 哪儿？
Tāmen xiànzài zài nǎr?

26.

男： 这个 周末 我们 要 出去 玩儿，你 去 吗？
Zhège zhōumò wǒmen yào chūqu wánr, nǐ qù ma?

女： 太 好 了! 我 也 去。
Tài hǎo le! Wǒ yě qù.

问： 女 的 是 什么 意思？
Nǚ de shì shénme yìsi?

27.

男：Wǒmen chūqu sànsan bù, zěnmeyàng?
我们 出去 散散 步，怎么样？

女：Wǒ lèi le, xiǎng xiūxi xiūxi.
我 累了，想 休息 休息。

问：Nǚ de xiǎng zuò shénme?
女的 想 做 什么？

28.

男：Xiǎo Wáng, nǐ rènshi Zhāng xiānsheng pángbiān nàge rén ma?
小 王，你 认识 张 先生 旁边 那个 人 吗？

女：Rènshi, tā jiù shì Zhāng xiānsheng de àiren.
认识，她 就 是 张 先生 的 爱人。

问：Zhāng xiānsheng pángbiān de rén shì shéi?
张 先生 旁边 的 人 是 谁？

29.

男：Zhè běn shū jiè wǒ kànkan, kěyǐ ma?
这 本 书 借 我 看看，可以 吗？

女：Duìbuqǐ, zhè běn shū shì wǒ péngyou de.
对不起，这 本 书 是 我 朋友 的。

问：Nǚ de shì shénme yìsi?
女 的 是 什么 意思？

30.

男：Nǐmen dōu shì liúxuéshēng ma?
你们 都 是 留学生 吗？

女：Wǒ shì, tāmen bú shì.
我 是，她们 不 是。

问：Yígòng yǒu jǐ ge liúxuéshēng?
一共 有 几 个 留学生？

Dì-sì bùfen
第四 部分

Yígòng　ge tí, měi tí tīng liǎng cì.
一共 5 个 题，每题 听 两 次。

Lìrú:

例如：

Qǐng zài zhèr xiě nǐ de míngzi.
女：请 在 这儿 写 你 的 名字。

Shì zhèr ma?
男：是 这儿 吗？

Bú shì, shì zhèr.
女：不 是， 是 这儿。

Hǎo, xièxie.
男：好， 谢谢。

Nán de yào xiě shénme?
问：男 的 要 写 什么？

Xiànzài kāishǐ dì   tí:
现在 开始 第 31 题：

31.

Zuìjìn jīngcháng kànjiàn nǐ zài jiàoshì xuéxí.
男：最近 经常 看见 你 在 教室 学习。

Xià zhōusì wǒmen yǒu kǎoshì.
女：下 周四 我们 有 考试。

Tīngshuō bù kǎo le.
男：听说 不 考 了。

Shì ma? Tài hǎo le!
女：是 吗？太 好 了！

Tāmen yǒu kǎoshì ma?
问：他们 有 考试 吗？

32.

Qǐngwèn zhè zhǒng hóngsè de yǐzi duōshao qián?
女：请问 这 种 红色 的椅子 多少 钱？

    yuán yì bǎ. Pángbiān lánsè de nà zhǒng   yuán yì bǎ.
男：30 元 一 把。 旁边 蓝色 的 那 种 25 元 一 把。

Wǒ xiǎng yào   bǎ lánsè de, kěyǐ sòngdào wǒmen xuéxiào ma?
女：我 想 要 15 把 蓝色 的，可以 送到 我们 学校 吗？

Méi wèntí.
男：没 问题。

Nǚ de yào duōshao bǎ   yǐzi?
问：女 的 要 多少 把 椅子？

33.

男： Tīngshuō Hā'ěrbīn de dōngtiān hěn měi.
听说 哈尔滨 的 冬天 很 美。

女： Shì hěn měi.
是 很 美。

男： Zhège hánjià wǒ xiǎng qù nàr kànkan. Zánmen yìqǐ qù ba.
这个 寒假 我 想 去 那儿 看看。 咱们 一起 去 吧。

女： Wǒ dǎsuàn qù Hǎinán.
我 打算 去 海南。

问： Nǚ de hánjià yào qù nǎr?
女 的 寒假 要 去 哪儿?

34.

男： Wǒ de tóngshì xiǎng zhǎo ge fángzi.
我 的 同事 想 找 个 房子。

女： Tā yào zhǎo shénmeyàng de?
他 要 找 什么样 的?

男： Lí gōngsī jìn yìdiǎnr de.
离 公司 近 一点儿 的。

女： Guì yìdiǎnr yě méi guānxi ma?
贵 一点儿 也 没 关系 吗?

问： Nán de yào bāng tóngshì zhǎo shénme?
男 的 要 帮 同事 找 什么?

35.

男： Zhège yǔfǎ nǐ tīngdǒng le ma?
这个 语法 你 听懂 了 吗?

女： Méiyǒu, lǎoshī shuō de yǒudiǎnr kuài.
没有, 老师 说 得 有点儿 快。

男： Wǒ yě méi tīngdǒng.
我 也 没 听懂。

女： Wǒmen yìqǐ qù wènwen lǎoshī ba.
我们 一起 去 问问 老师 吧。

问： Nǚ de shì shénme yìsi?
女 的 是 什么 意思?

Tīnglì kǎoshì xiànzài jiéshù.
听力 考试 现在 结束。

HSK（二级）模拟试卷 4

（音乐，30秒，渐弱）

Dàjiā hǎo! Huānyíng cānjiā   er jí   kǎoshì.
大家 好! 欢迎 参加 HSK（二级）考试。

Dàjiā hǎo! Huānyíng cānjiā   er jí   kǎoshì.
大家 好! 欢迎 参加 HSK（二级）考试。

Dàjiā hǎo! Huānyíng cānjiā   er jí   kǎoshì.
大家 好! 欢迎 参加 HSK（二级）考试。

    er jí   tīnglì kǎoshì fēn sì bùfen, gòng   tí.
HSK（二级）听力 考试 分 四 部分，共 35 题。

Qǐng dàjiā zhùyì, tīnglì kǎoshì xiànzài kāishǐ.
请 大家 注意，听力 考试 现在 开始。

Dì-yī bùfen
第一 部分

Yígòng   ge tí, měi tí tīng liǎng cì.
一共 10 个题，每 题 听 两 次。

Lìrú: Wǒmen jiā yǒu sān kǒu rén.
例如：我们 家 有 三 口 人。

        Wǒ měitiān zuò gōnggòng qìchē qù shàngbān.
        我 每天 坐 公共 汽车 去 上班。

Xiànzài kāishǐ dì   tí:
现在 开始 第 1 题：

    Zǎoshang wǒ mǎile yì jīn píngguǒ.
1. 早上 我 买了 一 斤 苹果。

    Tā zhèngzài hé péngyou liáotiānr ne.
2. 他 正在 和 朋友 聊天儿 呢。

    Wǒ míngtiān kāi chē qù Shànghǎi.
3. 我 明天 开 车 去 上海。

    Dàiwéi xiānsheng nín hǎo, hěn gāoxìng jiàndào nín.
4. 戴维 先生 您 好，很 高兴 见到 您。

Wǒ yì yǒu kòngr jiù qù yóuyǒng.
5. 我 一 有 空儿 就 去 游泳。

Qǐng nǐ shí fēnzhōng hòu dào bàngōngshì lái zhǎo wǒ.
6. 请 你 十 分钟 后 到 办公室 来 找 我。

Tā chuānle jiàn piàoliang de máoyī.
7. 她 穿了 件 漂亮 的 毛衣。

Wǒ xiǎng mǎi yìxiē qìqiú sònggěi háizimen.
8. 我 想 买 一些 气球 送给 孩子们。

Fángjiān li yǒu yì zhāng zhuōzi.
9. 房间 里有一 张 桌子。

Xiàbān yǐhòu, wǒmen yìqǐ qù chànggē ba.
10. 下班 以后, 我们 一起 去 唱歌 吧。

Dì-èr bùfen
第二 部分

Yígòng ge tí, měi tí tīng liǎng cì.
一共 10 个 题, 每 题 听 两 次。

Lìrú:
例如:

Nǐ xǐhuan shénme yùndòng?
男: 你 喜欢 什么 运动?

Wǒ xǐhuan dǎ wǎngqiú.
女: 我 喜欢 打 网球。

Xiànzài kāishǐ dì dào tí:
现在 开始 第 11 到 15 题:

11.

Jīntiān xīnkǔ nǐ le, míngtiān jiàn.
男: 今天 辛苦 你了, 明天 见。

Nǐ yě xīnkǔ le, míngtiān jiàn.
女: 你 也 辛苦 了, 明天 见。

12.

Zhè běn shū kànwán le ma?
男: 这 本 书 看完 了 吗?

Kànwán le, xiě de zhēn hǎo.
女: 看完 了, 写得 真 好。

13.

男：Nǐ juéde zhèlǐ de kāfēi zěnmeyàng?
你 觉得 这里 的 咖啡 怎么样?

女：Wǒ juéde hěn hǎohē.
我 觉得 很 好喝。

14.

男：Zhè tiáo lǜ qúnzi hěn hǎokàn.
这 条 绿裙子 很 好看。

女：Zhēnde hěn hǎokàn, wǒ yě xiǎng mǎi yí jiàn.
真的 很 好看, 我 也 想 买 一件。

15.

男：Nǐ zěnme chuān zhème duō yīfu? Wàimiàn hěn lěng ma?
你 怎么 穿 这么 多衣服? 外面 很 冷 吗?

女：Wàimiàn xià xuě le, hěn lěng.
外面 下雪 了, 很 冷。

Xiànzài kāishǐ dì dào tí:
现在 开始 第 16 到 20 题:

16.

男：Shèngdàn Jié jiù kuài dào le, nǐ huí bu huí guó?
圣诞 节就 快 到 了, 你 回 不 回 国?

女：Huí guó, míngtiān jiù zǒu.
回 国, 明天 就 走。

17.

女：Jīntiān gǎnjué hǎoxiē le ma?
今天 感觉 好些 了 吗?

男：Chīle yào, hǎo yìxiē le, búguò háishi bù shūfu.
吃了 药, 好 一些 了, 不过 还是 不 舒服。

18.

女：Zúqiú bǐsài de jiéguǒ zěnmeyàng?
足球 比赛 的 结果 怎么样?

男：3比2, bǐ duìfāng yíng le.
3比2, 对方 赢 了。

19.

Nǐmen gōngsī yǒu duōshao zhíyuán?
男：你们 公司 有 多少 职员？

Jiāshang jīnnián xīn lái de, dàgài yǒu　　ge zhíyuán.
女： 加上 今年 新 来 的，大概 有 150 个 职员。

20.

Nǐ mǎi shōuyīnjī zuò shénme?
男：你 买 收音机 做 什么？

Wǒ xiǎng tīng guǎngbō.
女： 我 想 听 广播。

Dì-sān bùfen
第三 部分

Yígòng　　ge tí, měi tí tīng liǎng cì.
一共 10 个 题，每 题 听 两 次。

Lìrú：
例如：

Xiǎo Wáng, zhèlǐ yǒu jǐ ge bēizi, nǎge shì nǐ de?
男： 小 王， 这里 有 几 个 杯子，哪个 是 你 的？

Zuǒbian nàge hóngsè de shì wǒ de.
女： 左边 那个 红色 的 是 我 的。

Xiǎo Wáng de bēizi shì shénme yánsè de?
问： 小 王 的 杯子 是 什么 颜色 的？

Xiànzài kāishǐ dì　　tí：
现在 开始 第 21 题：

21.

Hē diǎnr shénme, kāfēi háishi chá?
男：喝 点儿 什么，咖啡 还是 茶？

Xièxie, wǒ hē báikāishuǐ jiù kěyǐ le.
女： 谢谢，我 喝 白开水 就 可以 了。

Nǚ de xiǎng hē shénme?
问： 女 的 想 喝 什么？

22.

女： Qǐngwèn túshūguǎn zěnme zǒu?
　　请问　图书馆　怎么 走?

男： Bàoqiàn, wǒ yě bú tài qīngchu, nǐ zài wènwen biéren ba.
　　抱歉，　我 也 不 太 清楚，你 再　问问　别人 吧。

问： Nǚ de yào qù nǎr?
　　女的 要 去 哪儿?

23.

男： Nǐ xiàbān huíjiā dōu zuò shénme a?
　　你 下班　回家 都　做　什么 啊?

女： Měitiān xiàbān dōu hěn lèi, huíjiā jiù xiǎng shuìjiào.
　　每天　下班 都　很 累，回家　就 想　睡觉。

问： Nǚ de xiàbān huíjiā hòu xiǎng zuò shénme?
　　女的 下班　回家 后 想　做　什么?

24.

男： Zuótiān jùhuì, nǐ de nánpéngyou zěnme méi lái?
　　昨天　聚会，你的　男朋友　怎么　没 来?

女： Zhè jǐ tiān tā qù Běijīng lǚyóu le.
　　这 几天　他 去 北京　旅游 了。

问： Nǚ de de nánpéngyou wèi shénme méi lái?
　　女的的　男朋友　为　什么　没 来?

25.

男： Wǒ yǒu yí ge dìdi, jīnnián suì.
　　我 有 一个 弟弟，今年 7 岁。

女： Shì ma? Gēn wǒ de mèimei yíyàng dà.
　　是 吗? 跟 我 的 妹妹　一样　大。

问： Nǚ de de mèimei yǒu duō dà?
　　女的 的　妹妹　有 多 大?

26.

男： Míngtiān shénme shíhou jíhé?
　　明天　什么　时候 集合?

女： Míngtiān shàngwǔ jiǔ diǎn jíhé, jiǔ diǎn shí fēn zhǔnshí chūfā.
　　明天　　上午 九 点 集合，九 点 十 分　准时　出发。

问： Tāmen míngtiān jǐ diǎn chūfā?
　　他们　明天　几 点　出发?

27.

Nǐ de Hànyǔ shuō de zhēn hǎo.
男：你 的 汉语 说 得 真 好。

Xièxie, kěshì wǒ zhǐ huì shuō, bú huì xiě Hànzì.
女：谢谢，可是 我 只 会 说，不 会 写 汉字。

Nǚ de shì shénme yìsi?
问：女 的 是 什么 意思？

28.

Wǒ juéde zhè dào cài zuò de hěn hǎochī.
女：我 觉得 这 道 菜 做 得 很 好吃。

Xià cì wǒmen hái dào zhèr chīfàn, zài chángchang biéde cài.
男：下次 我们 还 到 这儿 吃饭，再 尝尝 别的 菜。

Tāmen kěnéng zài nǎr?
问：他们 可能 在 哪儿？

29.

Jièshào yí xià, zhè jiù shì wǒ de nǚ'ér.
男：介绍 一下，这 就 是 我 的 女儿。

Nǐ de nǚ'ér zhēn piàoliang.
女：你 的 女儿 真 漂亮。

Nǚ de rènwéi nán de de nǚ'ér zěnmeyàng?
问：女 的 认为 男 的 的 女儿 怎么样？

30.

Jìwán xìn shùnbiàn bāng wǒ mǎi jǐ zhāng yóupiào ba.
女：寄完 信 顺便 帮 我 买 几 张 邮票 吧。

Méi wèntí.
男：没 问题。

Nán de yào qù nǎr?
问：男 的 要 去 哪儿？

Dì-sì bùfen
第四 部分

Yígòng ge tí, měi tí tīng liǎng cì.
一共 5 个 题，每 题 听 两 次。

Lìrú:
例如：

Qǐng zài zhèr xiě nǐ de míngzi.
女： 请 在 这儿 写 你 的 名字。

Shì zhèr ma?
男： 是 这儿 吗？

Bú shì, shì zhèr.
女： 不 是， 是 这儿。

Hǎo, xièxie.
男： 好， 谢谢。

Nán de yào xiě shénme?
问： 男 的 要 写 什么？

Xiànzài kāishǐ dì   tí:
现在 开始 第 31 题：

31.

Zhèlǐ de jīdàn yòu hǎo yòu piányi, wǒmen mǎi diǎnr ba.
男： 这里 的 鸡蛋 又 好 又 便宜， 我们 买 点儿 吧。

Jiā li hái yǒu jǐ ge, chīwán zài mǎi ba.
女： 家里 还 有 几 个， 吃完 再 买 吧。

Zhè shì nóngmín zìjǐ jiā yǎng de jī xià de dàn, gèng hǎochī.
男： 这 是 农民 自己 家 养 的 鸡 下 的 蛋， 更 好吃。

Nà hǎo ba. Lǎobǎn, gěi wǒ lái èr jīn jīdàn.
女： 那 好 吧。 老板， 给 我 来 二 斤 鸡蛋。

Nán de xiǎng zuò shénme?
问： 男 的 想 做 什么？

32.

Tīngshuō nǐ bānjiā le?
男： 听说 你 搬家 了？

Shì de, yǐqián zhù de dìfang lí gōngsī tài yuǎn le, shàngbān bù fāngbiàn.
女： 是 的，以前 住 的 地方 离 公司 太 远 了， 上班 不 方便。

Wǒ zuìjìn yě zài zhǎo fángzi.
男： 我 最近 也 在 找 房子。

Shì ma? Nà wǒ yě bāng nǐ zhǎo yi zhǎo ba.
女： 是 吗？ 那 我 也 帮 你 找 一 找 吧。

Nǚ de zěnme le?
问： 女 的 怎么 了？

33.

男：Nǐ zài Běijīng zhùle duō cháng shíjiān le?
你 在 北京 住了 多 长 时间 了?

女：Cóng wǒ xué Hànyǔ kāishǐ jiù zài zhèr zhù le, yǒu nián le.
从 我 学 汉语 开始 就 在 这儿 住了，有 4 年 了。

男：Zhème jiǔ le, zài Běijīng hái xíguàn ma?
这么 久了，在 北京 还 习惯 吗?

女：Yǐjīng xíguàn le.
已经 习惯 了。

男：Xíguànle jiù hǎo.
习惯了 就 好。

问：Nǚ de zài Běijīng zhùle duō cháng shíjiān le?
女 的 在 北京 住了 多 长 时间 了?

34.

女：Jīntiān de jīngjù biǎoyǎn zhēn jīngcǎi.
今天 的 京剧 表演 真 精彩。

男：Shì a, wǒ zuì xǐhuan Zhōngguó jīngjù le.
是 啊，我 最 喜欢 中国 京剧 了。

女：Wǒ yě shì, wǒ dǎsuàn qǐng Lǐ lǎoshī jiāo wǒ chàng jīngjù.
我 也 是，我 打算 请 李 老师 教 我 唱 京剧。

男：Zhēnde ma? Wǒmen yìqǐ xué ba.
真的 吗? 我们 一起 学 吧。

问：Nǚ de dǎsuàn zuò shénme?
女 的 打算 做 什么?

35.

男：Míngnián jiù yào bìyè le, nǐ kāishǐ zhǎo gōngzuò le ma?
明年 就要 毕业 了，你 开始 找 工作 了吗?

女：Méiyǒu, wǒ zài zhǔnbèi yánjiūshēng kǎoshì. Nǐ ne?
没有，我 在 准备 研究生 考试。你 呢?

男：Wǒ xiǎng chū guó dú yánjiūshēng, xiànzài zài xuéxí wàiyǔ.
我 想 出 国 读 研究生，现在 在 学习 外语。

女：Wǒ de péngyou dàduōshù dōu zài zhǎo gōngzuò, xiǎng chū guó de hěn shǎo.
我 的 朋友 大多数 都 在 找 工作，想 出 国 的 很 少。

问：Shéi yào chū guó?
谁 要 出 国?

Tīnglì kǎoshì xiànzài jiéshù.
听力 考试 现在 结束。

HSK（二级）模拟试卷 5

（音乐，30秒，渐弱）

Dàjiā hǎo! Huānyíng cānjiā　　　è r jí　kǎoshì.
大家 好！　 欢迎　 参加 HSK（二级） 考试。

Dàjiā hǎo! Huānyíng cānjiā　　　è r jí　kǎoshì.
大家 好！　 欢迎　 参加 HSK（二级） 考试。

Dàjiā hǎo! Huānyíng cānjiā　　　è r jí　kǎoshì.
大家 好！　 欢迎　 参加 HSK（二级） 考试。

　　　　 è r jí　tīnglì kǎoshì fēn sì bùfen, gòng　　tí.
HSK（二级）听力 考试 分 四 部分， 共 35 题。

Qǐng dàjiā zhùyì,　tīnglì kǎoshì xiànzài kāishǐ.
请 大家 注意， 听力 考试　现在 开始。

Dì-yī bùfen
第一 部分

Yígòng　　ge tí, měi tí tīng liǎng cì.
一共 10 个 题，每 题 听　两 次。

Lìrú:　 Wǒmen jiā yǒu sān kǒu rén.
例如：　我们 家 有 三　口 人。

　　　 Wǒ měitiān zuò gōnggòng qìchē qù shàngbān.
　　　 我 每天 坐 公共 汽车 去 上班。

Xiànzài kāishǐ dì　　 tí:
现在 开始 第 1 题：

　　 Pánzi li yǒu hěn duō shuǐguǒ.
1. 盘子 里 有 很 多　水果。

　　 Wǒ de jiějie shì yì míng dǎoyóu.
2. 我 的 姐姐 是 一　名　导游。

　　 Mǎlì sònggěi wǒ yì tiáo piàoliang de liányīqún.
3. 玛丽 送给 我 一 条　漂亮　的 连衣裙。

　　 Yéye shēntǐ hěn hǎo, hěn shǎo shēngbìng.
4. 爷爷 身体 很 好，很 少　生病。

Zuótiān de bǐsài tā pǎo de zhēn kuài.
5. 昨天 的 比赛 他 跑 得 真 快。

Zhāng xiǎojiě, yǒu diànhuà zhǎo nǐ.
6. 张 小姐, 有 电话 找 你。

Nǐ de zìdiǎn wǒ fàng zài zhuōzi shang le.
7. 你 的 字典 我 放 在 桌子 上 了。

Tiānqì yuè lái yuè rè le.
8. 天气 越 来 越 热 了。

Tāmen zài jiàoshì shàngkè ne.
9. 他们 在 教室 上课 呢。

Māma zuò de cài hěn hǎochī.
10. 妈妈 做 的 菜 很 好吃。

Dì-èr bùfen
第二 部分

Yígòng   ge tí, měi tí tīng liǎng cì.
一共 10 个 题, 每 题 听 两 次。

Lìrú:
例如:

Nǐ xǐhuan shénme yùndòng?
男: 你 喜欢 什么 运动?

Wǒ xǐhuan dǎ wǎngqiú.
女: 我 喜欢 打 网球。

Xiànzài kāishǐ dì   dào   tí:
现在 开始 第 11 到 15 题:

11.

Wǒ de shǒujī huài le, nǐ néng bāng wǒ xiūxiu ma?
女: 我 的 手机 坏 了, 你 能 帮 我 修修 吗?

Hǎo de, ràng wǒ kànkan.
男: 好 的, 让 我 看看。

12.

Nǐ de àihào shì shénme?
男: 你 的 爱好 是 什么?

Wǒ xǐhuan kàn shū.
女: 我 喜欢 看 书。

13.

男： 这 条 狗 真 可爱，它 多 大 了？
Zhè tiáo gǒu zhēn kě'ài, tā duō dà le?

女： 刚刚 两 岁。
Gānggāng liǎng suì.

14.

男： 今天 没 时间， 我们 以后 再 见面 吧。
Jīntiān méi shíjiān, wǒmen yǐhòu zài jiànmiàn ba.

女： 好 的，我 再 给 你 打 电话。
Hǎo de, wǒ zài gěi nǐ dǎ diànhuà.

15.

女： 小 王， 你 爱人 的 生日 礼物 买好 了 吗？
Xiǎo Wáng, nǐ àiren de shēngrì lǐwù mǎihǎo le ma?

男： 买好 了。你 看， 怎么样？
Mǎihǎo le. Nǐ kàn, zěnmeyàng?

现在 开始 第 16 到 20 题：
Xiànzài kāishǐ dì 16 dào 20 tí:

16.

男： 下 周 去 沈阳， 坐 飞机 还是 火车 呢？
Xià zhōu qù Shěnyáng, zuò fēijī háishi huǒchē ne?

女： 坐 飞机 快 一些。
Zuò fēijī kuài yìxiē.

17.

女： 谁 在 外面？
Shéi zài wàimiàn?

男： 是 孩子们 放学 回来 了。
Shì háizimen fàngxué huílai le.

18.

女： 这些 书 不是 妈妈 买 的？
Zhèxiē shū bú shì māma mǎi de?

男： 不是，是 老师 送给 我 的。
Bú shì, shì lǎoshī sònggěi wǒ de.

19.

男：你 怎么 拿了 这么 多 东西？
Nǐ zěnme nále zhème duō dōngxi?

女：我 刚 从 商场 回来。
Wǒ gāng cóng shāngchǎng huílai.

20.

男：能 不 能 帮 我 拍 张 照片？
Néng bu néng bāng wǒ pāi zhāng zhàopiàn?

女：好 的。笑 一 笑。
Hǎo de. Xiào yi xiào.

Dì-sān bùfen
第三 部分

一共 10 个 题，每 题 听 两 次。
Yígòng ge tí, měi tí tīng liǎng cì.

例如：
Lìrú：

男：小 王，这里 有 几 个 杯子，哪个 是 你 的？
Xiǎo Wáng, zhèlǐ yǒu jǐ ge bēizi, nǎge shì nǐ de?

女：左边 那个 红色 的 是 我 的。
Zuǒbian nàge hóngsè de shì wǒ de.

问：小 王 的 杯子 是 什么 颜色 的？
Xiǎo Wáng de bēizi shì shénme yánsè de?

现在 开始 第 21 题：
Xiànzài kāishǐ dì tí：

21.

女：你 觉得 日语 好 不 好 学？
Nǐ juéde Rìyǔ hǎo bu hǎo xué?

男：日语 很 难 学，但是 学 起来 很 有意思。
Rìyǔ hěn nán xué, dànshì xué qǐlai hěn yǒu yìsi.

问：男 的 觉得 日语 难 学 吗？
Nán de juéde Rìyǔ nán xué ma?

22.

女：Qǐngwèn, zhè fùjìn yǒu yīyuàn ma?
请问， 这 附近 有 医院 吗？

男：Zhège yínháng de hòumiàn jiù shì yīyuàn.
这个 银行 的 后面 就是 医院。

问：Nǚ de yào qù nǎr?
女的 要 去 哪儿？

23.

男：Míngtiān xīngqīliù.
明天 星期六。

女：Shì ma? Yòu dào zhōumò le.
是 吗？ 又 到 周末 了。

问：Míngtiān xīngqī jǐ?
明天 星期 几？

24.

男：Zhège shǔjià nǐ xiǎng qù nǎr lǚyóu?
这个 暑假 你 想 去 哪儿 旅游？

女：Wǒ xiǎng qù Xī'ān chángchang nàr de xiǎochī.
我 想 去 西安 尝尝 那儿 的 小吃。

问：Nǚ de wèi shénme yào qù Xī'ān?
女的 为 什么 要 去 西安？

25.

男：Nǐ zài zuò shénme?
你 在 做 什么？

女：Wǒ zài gěi péngyou xiě xìn, kěshì diànnǎo yǒu wèntí le.
我 在 给 朋友 写信，可是 电脑 有 问题 了。

问：Nǚ de zài zuò shénme?
女的 在 做 什么？

26.

男：Tīngshuō Mǎlì jiéhūn le.
听说 玛丽 结婚 了。

女：Shì ma? Zhēn wèi tā gǎndào gāoxìng.
是 吗？ 真 为 她 感到 高兴。

问：Nǚ de shì shénme xīnqíng?
女的 是 什么 心情？

27.

Míngtiān jǐ diǎn kāihuì?
男： 明天 几点 开会？

Xiàwǔ yī diǎn.
女： 下午 一点。

Míngtiān de huì jǐ diǎn kāishǐ?
问： 明天 的 会 几点 开始？

28.

Hòutiān bàba yě lái ma?
女： 后天 爸爸 也 来 吗？

Bù, hòutiān zhǐshì māma guòlai.
男： 不，后天 只是 妈妈 过来。

Hòutiān shéi yào lái?
问： 后天 谁 要 来？

29.

Wàimiàn zhēn rè a.
男： 外面 真 热 啊。

Shì a, tīngshuō míngtiān qìwēn hái yào shàngshēng.
女： 是 啊，听说 明天 气温 还 要 上升。

Tāmen zài tánlùn shénme?
问： 他们 在 谈论 什么？

30.

Wǒ xiǎng mǎi zhè jiàn yīfu.
女： 我 想 买 这 件 衣服。

Nǐ bú shì yǐjīng yǒu yí jiàn zhèyàng de yīfu le ma?
男： 你 不 是 已经 有 一 件 这样 的 衣服 了 吗？

Nán de shì shénme yìsi?
问： 男 的 是 什么 意思？

Dì-sì bùfen
第四 部分

Yígòng ge tí, měi tí tīng liǎng cì.
一共 5 个 题，每 题 听 两 次。

Lìrú:
例如：

Qǐng zài zhèr xiě nǐ de míngzi.
女： 请 在 这儿 写 你 的 名字。

Shì zhèr ma?
男： 是 这儿 吗？

Bú shì, shì zhèr.
女： 不 是，是 这儿。

Hǎo, xièxie.
男： 好， 谢谢。

Nán de yào xiě shénme?
问： 男 的 要 写 什么？

Xiànzài kāishǐ dì tí:
现在 开始 第 31 题：

31.

Nǐ hǎo, qǐngwèn qù dòngwùyuán zěnme zǒu?
男： 你 好， 请问 去 动物园 怎么 走？

Cóng zhèr yìzhí wǎng dōng zǒu, dào dì-yī ge hónglǜdēng zuǒzhuǎn jiù
女： 从 这儿 一直 往 东 走，到 第一 个 红绿灯 左转 就

kànjiàn le.
看见 了。

Dàgài xūyào duō cháng shíjiān?
男： 大概 需要 多 长 时间？

Dàyuē yào shí fēnzhōng.
女： 大约 要 十 分钟。

Nán de yào qù nǎr?
问： 男 的 要 去 哪儿？

32.

Zhè cì kǎoshì nǐ yòu kǎole dì-yī míng, zhùhè nǐ!
男： 这 次 考试 你 又 考了 第一 名， 祝贺 你！

Xièxie, nǐ kǎo de yě búcuò.
女： 谢谢，你 考 得 也 不错。

Lǎoshī shuō wǒ yǒu jìnbù, wǒ hěn gāoxìng.
男： 老师 说 我 有 进步，我 很 高兴。

Wǒmen yìqǐ nǔlì ba.
女： 我们 一起 努力 吧。

Tāmen shì shénme guānxi?

问： 他们 是 什么 关系？

33.

Néng gàosu wǒ nǐ de shǒujī hàomǎ ma?

男： 能 告诉 我 你 的 手机 号码 吗？

Wǒ de shǒujī huài le, děng wǒ mǎile xīn de zài gàosu nǐ.

女： 我 的 手机 坏 了， 等 我 买了 新 的 再 告诉 你。

Nà nǐ xiān jì yí xià wǒ de hàomǎ ba.

男： 那 你 先 记 一下 我 的 号码 吧。

Hǎo de.

女： 好 的。

Nán de xiàng nǚ de yào shénme?

问： 男 的 向 女 的 要 什么？

34.

Nǐ hǎo, qǐngwèn xūyào shénme?

女： 你好， 请问 需要 什么？

Wǒ xiǎng gěi nǚpéngyou mǎi yí jiàn qípáo.

男： 我 想 给 女朋友 买 一件 旗袍。

Zhè jiàn fěnsè de zěnmeyàng?

女： 这 件 粉色 的 怎么样？

Hěn hǎokàn, búguò tā xǐhuan hóngsè de.

男： 很 好看， 不过 她 喜欢 红色 的。

Nán de yào mǎi shénme yánsè de qípáo?

问： 男 的 要 买 什么 颜色 的 旗袍？

35.

Chūn Jié kuài dào le, wàimiàn hěn rènao.

男： 春 节 快 到 了， 外面 很 热闹。

Shì a. Jīnnián Chūn Jié nǐ dǎsuàn zěnme guò?

女： 是 啊。 今年 春 节 你 打算 怎么 过？

Huíjiā hé jiārén yìqǐ guò.

男： 回家 和 家人 一起 过。

Zhōngguó jiātíng dōu yíyàng ba?

女： 中国 家庭 都 一样 吧？

Shénme jiérì kuài dào le?

问： 什么 节日 快 到 了？

Tīnglì kǎoshì xiànzài jiéshù.

听力 考试 现在 结束。

HSK（二级）模拟试卷 6

（音乐，30秒，渐弱）

Dàjiā hǎo! Huānyíng cānjiā èr jí kǎoshì.
大家 好！ 欢迎 参加 HSK（二级） 考试。

Dàjiā hǎo! Huānyíng cānjiā èr jí kǎoshì.
大家 好！ 欢迎 参加 HSK（二级） 考试。

Dàjiā hǎo! Huānyíng cānjiā èr jí kǎoshì.
大家 好！ 欢迎 参加 HSK（二级） 考试。

èr jí tīnglì kǎoshì fēn sì bùfen, gòng tí.
HSK（二级）听力 考试 分 四 部分， 共 35 题。

Qǐng dàjiā zhùyì, tīnglì kǎoshì xiànzài kāishǐ.
请 大家 注意， 听力 考试 现在 开始。

Dì-yī bùfen
第一 部分

Yígòng ge tí, měi tí tīng liǎng cì.
一共 10 个题，每 题 听 两 次。

Lìrú： Wǒmen jiā yǒu sān kǒu rén.
例如： 我们 家 有 三 口 人。

Wǒ měitiān zuò gōnggòng qìchē qù shàngbān.
我 每天 坐 公共 汽车 去 上班。

Xiànzài kāishǐ dì tí：
现在 开始 第 1 题：

Wǒ shì jīnnián bìyè de.
1. 我 是 今年 毕业 的。

Jiàoshì li yǒu sān ge liúxuéshēng.
2. 教室 里 有 三 个 留学生。

Wǒ zuì bù xǐhuan biéren zài wǒ miànqián chōuyān le.
3. 我 最 不 喜欢 别人 在 我 面前 抽烟 了。

Tā zuò zài zhuōzi qián kàn wénjiàn ne.
4. 他 坐 在 桌子 前 看 文件 呢。

Wǒ mǎshàng pǎo guòqu kāimén.
5. 我 马上 跑 过去 开门。

Jīntiān wǔfàn chī miàntiáo.
6. 今天 午饭 吃 面条。

Tāmen zhèngzài gōngsī jiābān.
7. 他们 正在 公司 加班。

Wǒ qù yínháng huàn Rénmínbì.
8. 我 去 银行 换 人民币。

Jiékè hái méi qùguo Tiān'ānmén ne.
9. 杰克 还 没 去过 天安门 呢。

Wǒ qí mótuōchē shàngbān.
10. 我 骑 摩托车 上班。

Dì-èr bùfen
第二 部分

Yígòng ge tí, měi tí tīng liǎng cì.
一共 10 个题, 每 题 听 两 次。

Lìrú:
例如:

Nǐ xǐhuan shénme yùndòng?
男: 你 喜欢 什么 运动?

Wǒ xǐhuan dǎ wǎngqiú.
女: 我 喜欢 打 网球。

Xiànzài kāishǐ dì dào tí:
现在 开始 第 11 到 15 题:

11.

Nǐ jiā yǎngle zhème duō yú, zhēn piàoliang.
男: 你家 养了 这么 多 鱼, 真 漂亮。

Shì a, wǒ hěn xǐhuan yú.
女: 是 啊, 我 很 喜欢 鱼。

12.

Nǐ yǒu jǐ ge háizi?
女: 你 有 几个 孩子?

Liǎng ge, dōu zài shàng xiǎoxué.
男: 两 个, 都 在 上 小学。

13.

Wèi, nǐ zài nǎr ne?

男：喂，你 在 哪儿 呢？

Wǒ zài péngyou zhèr liáotiānr ne.

女：我 在 朋友 这儿 聊天儿 呢。

14.

Zhè dǐng màozi kěyǐ shìshi ma?

女：这 顶 帽子 可以 试试 吗？

Dāngrán kěyǐ.

男：当然 可以。

15.

Nǐ xǐhuan hē kāfēi ma?

男：你 喜欢 喝 咖啡 吗？

Wǒ hěn shǎo hē kāfēi.

女：我 很 少 喝 咖啡。

Xiànzài kāishǐ dì dào tí:

现在 开始 第 16 到 20 题：

16.

Nǐ kàn tā shūfǎ xiě de zěnmeyàng?

男：你 看 他 书法 写 得 怎么样？

Xiě de hái kěyǐ.

女：写 得 还 可以。

17.

Zhè shì shénme shū?

男：这 是 什么 书？

Zhè shì wǒ de Hànyǔ shū.

女：这 是 我的 汉语 书。

18.

Jīntiān de zuòyè duō ma?

男：今天 的 作业 多 吗？

Hěn duō, wǒ xiěle hěn cháng shíjiān le.

女：很 多，我 写了 很 长 时间 了。

19.

Wàimiàn kōngqì zhēn hǎo.
男： 外面 空气 真 好。

Shì a, wǒmen yīnggāi duō chūlai zǒuzou.
女： 是 啊，我们 应该 多 出来 走走。

20.

Nǐ zěnme cái huíjiā?
女： 你 怎么 才 回家？

Wǒ fàngxué hòu gēn tóngxué dǎ lánqiú qù le.
男： 我 放学 后 跟 同学 打 篮球 去 了。

Dì-sān bùfen
第三 部分

Yígòng   ge tí, měi tí tīng liǎng cì.
一共 10 个 题，每 题 听 两 次。

Lìrú:
例如：

Xiǎo Wáng, zhèlǐ yǒu jǐ ge bēizi, nǎge shì nǐ de?
男： 小 王， 这里 有 几 个 杯子，哪个 是 你 的？

Zuǒbian nàge hóngsè de shì wǒ de.
女： 左边 那个 红色 的 是 我 的。

Xiǎo Wáng de bēizi shì shénme yánsè de?
问： 小 王 的 杯子 是 什么 颜色 的？

Xiànzài kāishǐ dì   tí:
现在 开始 第 21 题：

21.

Nǐmen cóng jǐ diǎn dào jǐ diǎn shàngkè?
男： 你们 从 几点 到 几点 上课？

Wǒmen bā diǎn shàngkè, shì'èr diǎn xiàkè.
女： 我们 八 点 上课，十二 点 下课。

Tāmen jǐ diǎn xiàkè?
问： 他们 几点 下课？

22.

男： Nǐ zěnme kū le?
你 怎么 哭 了？

女： Wǎng shang shuō de zhè jiàn shì tài gǎnrén le.
网 上 说 的 这 件 事 太 感人 了。

问： Nǚ de zěnme le?
女 的 怎么 了？

23.

男： Nǐ néng bu néng zài shuō yí biàn? Wǒ méi tīng qīngchu.
你 能 不 能 再 说 一 遍？ 我 没 听 清楚。

女： Hǎo de, wǒ zài shuō yí biàn.
好 的， 我 再 说 一 遍。

问： Nán de ràng nǚ de zuò shénme?
男 的 让 女 的 做 什么？

24.

男： Xuéxiào lǐmiàn yǒu yóujú ma?
学校 里面 有 邮局 吗？

女： Méiyǒu, yóujú zài xuéxiào wàimiàn.
没有， 邮局 在 学校 外面。

问： Yóujú zài nǎr?
邮局 在 哪儿？

25.

男： Nǐ de zìxíngchē shì xīn de háishi jiù de?
你 的 自行车 是 新 的 还是 旧 的？

女： Zìxíngchē shì wǒ xīn mǎi de.
自行车 是 我 新 买 的。

问： Nǚ de de zìxíngchē zěnmeyàng?
女 的 的 自行车 怎么样？

26.

男： Zhè bù diànyǐng wǒ kànguo liǎng biàn, hái xiǎng zài kàn yí biàn.
这 部 电影 我 看过 两 遍， 还 想 再 看 一 遍。

女： Zhème hǎokàn ma? Wǒ yě xiǎng kànkan.
这么 好看 吗？ 我 也 想 看看。

问： Zhè bù diànyǐng nán de kànle jǐ biàn?
这 部 电影 男 的 看了 几 遍？

27.

Nǐ jīntiān chī yào le ma?
男：你 今天 吃药 了吗？

Méiyǒu, yīshēng shuō wǒ bìng hǎo le, búyòng chī yào le.
女：没有， 医生 说 我 病 好 了，不用 吃药 了。

Nǚ de wèi shénme méi chī yào?
问：女的 为 什么 没 吃药？

28.

Xīguā yì jīn duōshao qián?
男：西瓜 一 斤 多少 钱？

Yì jīn sān kuài qián.
女：一 斤 三 块 钱。

Xīguā duōshao qián yì jīn?
问：西瓜 多少 钱 一 斤？

29.

Shàngkè shí qǐng búyào liáotiānr.
女：上课 时 请 不要 聊天儿。

Duìbuqǐ, lǎoshī.
男：对不起，老师。

Nǚ de zài zuò shénme?
问：女的 在 做 什么？

30.

Jīnwǎn Mǎlì kāi shēngrì wǎnhuì, nǐ yě yìqǐ qù ba.
男：今晚 玛丽 开 生日 晚会，你 也 一起 去 吧。

Duìbuqǐ, wǒ wǎnshang yǒu shì.
女：对不起，我 晚上 有 事。

Nǚ de shì shénme yìsi?
问：女的 是 什么 意思？

Dì-sì bùfen
第四 部分

Yígòng ge tí, měi tí tīng liǎng cì.
一共 5 个 题，每 题 听 两 次。

例如：

Qǐng zài zhèr xiě nǐ de míngzi.
女：请 在 这儿 写 你 的 名字。

Shì zhèr ma?
男：是 这儿 吗？

Bú shì, shì zhèr.
女：不 是，是 这儿。

Hǎo, xièxie.
男：好，谢谢。

Nán de yào xiě shénme?
问：男 的 要 写 什么？

Xiànzài kāishǐ dì tí:
现在 开始 第 31 题：

31.

Yǐjīng shí diǎn le, nǐ gāi shuìjiào le.
男：已经 十 点 了，你 该 睡觉 了。

Kěshì diànshìjù hái yǒu bàn ge xiǎoshí cái jiéshù ne.
女：可是 电视剧 还 有 半 个 小时 才 结束 呢。

Hǎo ba, kànwán diànshìjù mǎshàng qù shuìjiào.
男：好 吧，看完 电视剧 马上 去 睡觉。

Hǎo de.
女：好 的。

Nǚ de kěnéng jǐ diǎn qù shuìjiào?
问：女 的 可能 几 点 去 睡觉？

32.

Shīfu, nín néng bu néng zài kāi kuài diǎnr?
女：师傅，您 能 不 能 再 开 快 点儿？

Yǐjīng hěn kuài le.
男：已经 很 快 了。

Huǒchē hái yǒu fēnzhōng jiù kāi le.
女：火车 还 有 20 分钟 就 开 了。

Fàngxīn ba, mǎshàng jiù dào le.
男：放心 吧，马上 就 到 了。

Nǚ de yào qù nǎr?
问：女 的 要 去 哪儿？

33.

男： Míngtiān qǐng tóngxuémen tíqián shí fēnzhōng dào xuéxiào.
明天 请 同学们 提前 十 分钟 到 学校。

女： Lǎoshī, wèi shénme a?
老师, 为 什么 啊?

男： Míngtiān dàjiā yìqǐ qù bówùguǎn, yào zǎo diǎnr chūfā.
明天 大家 一起 去 博物馆, 要 早 点儿 出发。

女： Tài hǎo le!
太 好 了!

问： Míngtiān tāmen zuò shénme?
明天 他们 做 什么?

34.

男： Jīntiān xiàkè hòu qù nǎr chīfàn?
今天 下课 后 去 哪儿 吃饭?

女： Wǒ qù shítáng chī.
我 去 食堂 吃。

男： Bié qù shítáng le, wǒ qǐngkè, zánmen qù chī huǒguō.
别 去 食堂 了, 我 请客, 咱们 去 吃 火锅。

女： Tài hǎo le! Wǒ zuì ài chī huǒguō le.
太 好 了! 我 最 爱 吃 火锅 了。

问： Nán de shì shénme yìsi?
男 的 是 什么 意思?

35.

男： Nǐ de diànzǐ cídiǎn néng bu néng jiè wǒ yòng yí xià?
你的 电子 词典 能 不 能 借 我 用 一 下?

女： Nǐ bú shì yǒu ma?
你 不 是 有 吗?

男： Wǒ de méi diàn le.
我 的 没 电 了。

女： Hǎo ba, gěi nǐ.
好 吧, 给 你。

问： Nán de de diànzǐ cídiǎn zěnme le?
男 的 的 电子 词典 怎么 了?

Tīnglì kǎoshì xiànzài jiéshù.
听力 考试 现在 结束。

HSK（二级）模拟试卷 7

（音乐，30 秒，渐弱）

Dàjiā hǎo! Huānyíng cānjiā　　 èr jí 　kǎoshì.
大家 好！　欢迎　 参加 HSK（二级） 考试。

Dàjiā hǎo! Huānyíng cānjiā　　 èr jí 　kǎoshì.
大家 好！　欢迎　 参加 HSK（二级） 考试。

Dàjiā hǎo! Huānyíng cānjiā　　 èr jí 　kǎoshì.
大家 好！　欢迎　 参加 HSK（二级） 考试。

　　　　 èr jí 　tīnglì kǎoshì fēn sì bùfen, gòng　　 tí.
HSK（二级）听力 考试 分 四 部分，共 35 题。

Qǐng dàjiā zhùyì,　 tīnglì kǎoshì xiànzài kāishǐ.
请 大家 注意，听力 考试　 现在 开始。

　　　　　　 Dì-yī bùfen
　　　　　　 第一 部分

Yígòng　　 ge tí, měi tí tīng liǎng cì.
 一共 10 个 题，每 题 听 两 次。

Lìrú：　Wǒmen jiā yǒu sān kǒu rén.
例如：　我们 家 有 三 口 人。

　　　　Wǒ měitiān zuò gōnggòng qìchē qù shàngbān.
　　　　我 每天 坐 公共 汽车 去 上班。

Xiànzài kāishǐ dì　　 tí：
 现在 开始 第 1 题：

　　 Tāmen kāichē lái jiē nǐ.
1.　他们 开车 来 接 你。

　　 Wǎnshang wǒ hé péngyou yìqǐ qù jiǔbā.
2.　 晚上 我 和 朋友 一起 去 酒吧。

　　 Gēge shì yì míng jǐngchá.
3.　哥哥 是 一名 警察。

　　 Zhàopiàn shang yǒu yì zhī xiǎoniǎor.
4.　 照片 上 有 一只 小鸟儿。

Lǐ lǎoshī zhèngzài gěi wǒmen shàngkè.
5. 李老师 正在 给 我们 上课。

Tāmen zài cāochǎng shang wánr ne.
6. 他们 在 操场 上 玩儿 呢。

Tā zhǎng de hěn piàoliang.
7. 她 长 得 很 漂亮。

Háizi yǒudiǎnr bù gāoxìng le.
8. 孩子 有点儿 不 高兴 了。

Huānyíng chéngzuò wǒmen guójiā de fēijī!
9. 欢迎 乘坐 我们 国家的飞机！

Qián jǐ tiān wǒ qùle yí tàng Běijīng.
10. 前 几 天 我 去了 一 趟 北京。

Dì-èr bùfen
第二 部分

Yígòng ge tí, měi tí tīng liǎng cì.
一共 10 个题，每 题 听 两 次。

Lìrú：
例如：

Nǐ xǐhuan shénme yùndòng?
男：你 喜欢 什么 运动？

Wǒ xǐhuan dǎ wǎngqiú.
女：我 喜欢 打 网球。

Xiànzài kāishǐ dì dào tí:
现在 开始 第 11 到 15 题:

11.

Wàimiàn xià xuě le.
女：外面 下 雪了。

Shì ma? Wǒmen chūqu duī xuěrén ba.
男：是 吗？ 我们 出去 堆 雪人 吧。

12.

Wǒ mǎile lǜchá, nǐ yào hē ma?
女：我 买了 绿茶，你 要 喝 吗？

Hǎo de, xièxie.
男：好 的，谢谢。

13.

Zhè tiáo lǐngdài zěnmeyàng?
男：这 条 领带 怎么样?

Búcuò, wǒ hěn xǐhuan.
女：不错，我 很 喜欢。

14.

Nǐ zhīdào zhè zhī bǐ shì shéi de ma?
男：你 知道 这 支 笔 是 谁 的 吗?

Shì lǎoshī de.
女：是 老师 的。

15.

Yǐjīng liù diǎn le, kuài qǐchuáng!
女：已经 六 点 了，快 起床!

Wǒ jīntiān méiyǒu kè.
男：我 今天 没有 课。

Xiànzài kāishǐ dì dào tí:
现在 开始 第 16 到 20 题:

16.

Nǐ kàn, zhèr shì tǐyùchǎng.
男：你 看，这儿 是 体育场。

À, zhǎodào le! Rénmín Jùchǎng jiù zài dōngbian.
女：啊，找到 了! 人民 剧场 就 在 东边。

17.

Tā gàn shénme ne?
男：他 干 什么 呢?

Tā zhèngzài kàn bàozhǐ ne.
女：他 正在 看 报纸 呢。

18.

Nǐ jiā chuāng qián yǒu zhème duō huār!
男：你 家 窗 前 有 这么 多 花儿!

Shì wǒ māma zhòng de.
女：是 我 妈妈 种 的。

19.

Huǒchē lái le!
男： 火车 来 了！

Shàngchē ba, yílù shùnfēng.
女： 上车 吧，一路 顺风。

20.

Zhè shì wǒ dì-yí cì zài hǎibiān kàn rìchū.
女： 这 是 我 第一 次 在 海边 看 日出。

Wǒ yě shì.
男： 我 也 是。

Dì-sān bùfen
第三 部分

Yígòng ge tí, měi tí tīng liǎng cì.
一共 10 个 题，每 题 听 两 次。

Lìrú：
例如：

Xiǎo Wáng, zhèlǐ yǒu jǐ ge bēizi, nǎge shì nǐ de?
男： 小 王， 这里 有 几 个 杯子，哪个 是 你 的？

Zuǒbian nàge hóngsè de shì wǒ de.
女： 左边 那个 红色 的 是 我 的。

Xiǎo Wáng de bēizi shì shénme yánsè de?
问： 小 王 的 杯子 是 什么 颜色 的？

Xiànzài kāishǐ dì tí：
现在 开始 第 21 题：

21.

Xiǎo Wáng zěnme le?
男： 小 王 怎么 了？

Hànyǔ Shuǐpíng Kǎoshì jiéguǒ chūlai le, tā kǎo de bú tài hǎo.
女： 汉语 水平 考试 结果 出来 了，他 考 得 不 太 好。

Xiǎo Wáng zěnme le?
问： 小 王 怎么 了？

22.

女：Jīntiān shì shí yuè sì hào ma?
今天 是 十 月 四 号 吗？

男：Míngtiān cái shì.
明天 才 是。

问：Jīntiān shì jǐ yuè jǐ hào?
今天 是 几 月 几 号？

23.

男：Jīntiān wǎnfàn zuò shénme?
今天 晚饭 做 什么？

女：Bú zuò le, wǒmen qù fàndiàn chī.
不 做 了，我们 去 饭店 吃。

问：Tāmen dǎsuàn qù nǎr chī wǎnfàn?
他们 打算 去 哪儿 吃 晚饭？

24.

男：Nǐ fùmǔ bú zài jiā ma?
你 父母 不 在 家 吗？

女：Tāmen yǒu shì chūqu le, wǒ yí ge rén zài jiā.
他们 有 事 出去 了，我 一个 人 在 家。

问：Nán de lái de shíhou, nǚ de jiā li yǒu jǐ ge rén?
男 的 来 的 时候，女 的 家里 有 几 个 人？

25.

男：Hánjià guò de zhēn kuài!
寒假 过 得 真 快！

女：Shì a, yòu yào kāixué le.
是 啊，又 要 开学 了。

问：Tāmen shì zuò shénme de?
他们 是 做 什么 的？

26.

男：Zhè shì zhǎo nín de qián, qǐng shōuhǎo.
这 是 找 您 的 钱，请 收好。

女：Shīfu, nǐ duō zhǎole wǒ wǔ kuài qián.
师傅，你 多 找 了 我 五 块 钱。

问：Tāmen kěnéng zài nǎr?
他们 可能 在 哪儿？

27.

男： Jiā li hái yǒu chī de dōngxi ma?
家里 还有 吃 的 东西 吗？

女： Méiyǒu le, wǒ yě è le.
没有 了，我 也 饿 了。

问： Nán de zěnme le?
男的 怎么 了？

28.

男： Zhōumò yìqǐ qù Xiāng Shān kàn hóngyè ba.
周末 一起 去 香 山 看 红叶 吧。

女： Tài hǎo le! Qiūtiān de Xiāng Shān zuì měi le.
太好了！ 秋天 的 香 山 最 美 了。

问： Xiànzài shì shénme jìjié?
现在 是 什么 季节？

29.

男： Nǐ shì Hánguó rén ma?
你是 韩国 人 吗？

女： Bú shì, wǒ shì Zhōngguó rén.
不是，我 是 中国 人。

问： Nǚ de shì nǎ guó rén?
女的 是 哪 国人？

30.

男： Nǐ huì bu huì kāichē?
你会 不会 开车？

女： Wǒ zhèngzài xuéxí kāichē.
我 正在 学习 开车。

问： Nǚ de huì bu huì kāichē?
女的 会 不会 开车？

Dì-sì bùfen
第四 部分

Yígòng ge tí, měi tí tīng liǎng cì.
一共 5 个 题，每 题 听 两 次。

Lìrú:
例如：

Qǐng zài zhèr xiě nǐ de míngzi.
女： 请 在 这儿 写 你 的 名字。

Shì zhèr ma?
男： 是 这儿 吗？

Bú shì, shì zhèr.
女： 不 是，是 这儿。

Hǎo, xièxie.
男： 好，谢谢。

Nán de yào xiě shénme?
问： 男 的 要 写 什么？

Xiànzài kāishǐ dì tí:
现在 开始 第 31 题：

31.

Qǐngwèn zhège qiánbāo duōshao qián?
女： 请问 这个 钱包 多少 钱？

kuài qián.
男： 50 块 钱。

Wǒ hěn xǐhuan, kěshì wǒ xiànzài zhǐ yǒu kuài qián.
女： 我 很 喜欢，可是 我 现在 只 有 45 块 钱。

Nà nín jiù gěi ba.
男： 那 您 就 给 45 吧。

Xièxie.
女： 谢谢。

Mǎi zhège qiánbāo, nǚ de huāle duōshao qián?
问： 买 这个 钱包，女 的 花了 多少 钱？

32.

Zěnme hái méi dào a? Lèisǐ le!
女： 怎么 还 没 到 啊？累死 了！

Mǎshàng jiù dào le.
男： 马上 就 到 了。

Xià cì chūqu, wǒ cái bù zǒuzhe huíjiā ne.
女： 下次 出去，我 才 不 走着 回家 呢。

Hǎo, xià cì zuò chē huílai.
男： 好，下次 坐 车 回来。

Tāmen zěnme huíjiā de?
问： 他们 怎么 回家 的？

33.

Tīngshuō shàng zhōu nǐ qù Hángzhōu lǔxíng le?
男： 听说 上 周 你去 杭州 旅行 了？

Shì a, wánr de fēicháng hǎo.
女： 是 啊，玩儿 得 非常 好。

Nǐ zuì xǐhuan Hángzhōu de shénme?
男： 你最 喜欢 杭州 的 什么？

Dāngrán shì Hángzhōu Xīhú le, nàr měijí le!
女： 当然 是 杭州 西湖 了，那儿 美极 了！

Nǔ de qù nǎr lǔxíng le?
问： 女 的 去 哪儿 旅行 了？

34.

Shíjiān bù zǎo le, wǒ gāi huíqu le.
男： 时间 不 早 了，我 该 回去 了。

Hǎo, wǒ sòngsong nǐ.
女： 好，我 送送 你。

Jīntiān wánr de hěn gāoxìng, xièxie nǐ.
男： 今天 玩儿 得 很 高兴， 谢谢 你。

Bié kèqi, yǒu kòngr zài lái.
女： 别 客气，有 空儿 再 来。

Tāmen zài zuò shénme?
问： 他们 在 做 什么？

35.

Xiǎo Wáng, gāngcái shì shéi dǎ lái de diànhuà?
男： 小 王， 刚才 是 谁 打来的 电话？

Shì Zhāng jīnglǐ.
女： 是 张 经理。

Tā yǒu shénme shì?
男： 他 有 什么 事？

Tā ràng wǒ gàosu nǐ, xiàwǔ bù kāihuì le.
女： 他 让 我 告诉 你，下午 不 开会 了。

Diànhuà shì shéi dǎ lái de?
问： 电话 是 谁 打 来的？

Tīnglì kǎoshì xiànzài jiéshù.
听力 考试 现在 结束。

HSK（二级）模拟试卷 8

（音乐，30秒，渐弱）

Dàjiā hǎo! Huānyíng cānjiā　　　èr jí　kǎoshì.
大家 好！ 欢迎 参加 HSK（二级）考试。

Dàjiā hǎo! Huānyíng cānjiā　　　èr jí　kǎoshì.
大家 好！ 欢迎 参加 HSK（二级）考试。

Dàjiā hǎo! Huānyíng cānjiā　　　èr jí　kǎoshì.
大家 好！ 欢迎 参加 HSK（二级）考试。

　　　　　èr jí　tīnglì kǎoshì fēn sì bùfen, gòng　　tí.
HSK（二级）听力 考试 分 四 部分， 共 35 题。

Qǐng dàjiā zhùyì, tīnglì kǎoshì xiànzài kāishǐ.
请 大家 注意， 听力 考试 现在 开始。

Dì-yī bùfen
第一 部分

Yígòng　　ge tí, měi tí tīng liǎng cì.
一共 10 个题，每 题 听 两次。

Lìrú： Wǒmen jiā yǒu sān kǒu rén.
例如： 我们 家 有 三 口 人。

　　　Wǒ měitiān zuò gōnggòng qìchē qù shàngbān.
　　　我 每天 坐 公共 汽车 去 上班。

Xiànzài kāishǐ dì　　tí：
现在 开始 第 1 题：

　　Zhè shì nǐ de shǒujī?
1. 这 是 你的 手机?

　　Nǐ hǎo, wǒ shì Yuēhàn.
2. 你好， 我 是 约翰。

　　Wǒ zhèngzài tīng yīnyuè.
3. 我 正在 听 音乐。

　　Duō yùndòng duì shēntǐ yǒu hǎochu.
4. 多 运动 对 身体 有 好处。

Tā yí xià fēijī jiù guòlai le.
5. 他 一下 飞机 就 过来了。

Wǒ xiàng péngyou jièle yì běn shū.
6. 我 向 朋友 借了一本 书。

Xīnnián kuàilè!
7. 新年 快乐!

Zhè liè huǒchē kāiwǎng Shànghǎi.
8. 这列 火车 开往 上海。

Nǐ jiā xiǎogǒu de míngzi hěn hǎotīng.
9. 你家 小狗 的 名字 很 好听。

Wǒ hé māma yìqǐ qù shāngchǎng mǎi dōngxi.
10. 我 和 妈妈 一起 去 商场 买 东西。

Dì-èr bùfen
第二 部分

Yígòng   ge tí, měi tí tīng liǎng cì.
一共 10 个题, 每 题 听 两 次。

Lìrú:
例如:

Nǐ xǐhuan shénme yùndòng?
男: 你 喜欢 什么 运动?

Wǒ xǐhuan dǎ wǎngqiú.
女: 我 喜欢 打 网球。

Xiànzài kāishǐ dì   dào   tí:
现在 开始 第 11 到 15 题:

11.

Qǐngwèn xiànzài jǐ diǎn le?
男: 请问 现在 几 点 了?

Xiànzài shì shí'èr diǎn zhěng.
女: 现在 是 十二 点 整。

12.

Tīngshuō nǐ yào qù liúxué?
男: 听说 你要 去 留学?

Wǒ dǎsuàn qù Měiguó xuéxí Yīngyǔ.
女: 我 打算 去 美国 学习 英语。

13.

Wǒ sǎngzi yǒudiǎnr téng.
男： 我 嗓子 有点儿 疼。

Ràng wǒ kànkan.
女： 让 我 看看。

14.

Chángchang wǒ gāng mǎi de júzi.
男： 尝尝 我 刚 买 的 橘子。

Xièxie, zhè júzi zhēn tián.
女： 谢谢，这 橘子 真 甜。

15.

Néng bu néng bāng wǒ bān yí xià zhège xiāngzi?
男： 能 不 能 帮 我 搬 一 下 这个 箱子？

Hǎo de.
女： 好 的。

Xiànzài kāishǐ dì 16 dào 20 tí:
现在 开始 第 16 到 20 题：

16.

Wǒ jiā pángbiān de chāoshì dōngxi bǐjiào piányi.
男： 我家 旁边 的 超市 东西 比较 便宜。

Gùkè hěn duō ba?
女： 顾客 很 多 吧？

17.

Tā chànggē zhēn hǎotīng!
男： 她 唱歌 真 好听！

Tā shì Zhōngguó hěn yǒumíng de gēshǒu.
女： 她 是 中国 很 有名 的 歌手。

18.

Nàge cí chádào le ma?
女： 那个 词 查到 了 吗？

Hái méiyǒu, zhèngzài chá.
男： 还 没有， 正在 查。

19.

Nà sān ge nǚháir shì shéi?
男：那 三 个 女孩儿 是 谁？

Tāmen shì wǒ de tóngxué.
女：她们 是 我 的 同学。

20.

Nǐ měitiān dōu zuò gōnggòng qìchē shàngxué?
男：你 每天 都 坐 公共 汽车 上学？

Shì de, gōnggòng qìchē yòu kuài yòu piányi.
女：是 的， 公共 汽车 又 快 又 便宜。

Dì-sān bùfen
第三 部分

Yígòng ge tí, měi tí tīng liǎng cì.
一共 10 个 题，每 题 听 两次。

Lìrú：
例如：

Xiǎo Wáng, zhèlǐ yǒu jǐ ge bēizi, nǎge shì nǐ de?
男：小 王， 这里 有几 个 杯子，哪个 是 你 的？

Zuǒbian nàge hóngsè de shì wǒ de.
女：左边 那个 红色 的 是 我 的。

Xiǎo Wáng de bēizi shì shénme yánsè de?
问：小 王 的杯子是 什么 颜色 的？

Xiànzài kāishǐ dì tí：
现在 开始 第 21 题：

21.

Nǐ jiā zhù zài jǐ céng?
男：你 家 住 在 几 层？

Wǒ jiā zhù zài céng.
女：我 家 住 在 5 层。

Nǚ de jiā zhù zài jǐ céng?
问：女 的 家 住 在 几 层？

22.

Tài guì le, néng bu néng piányi diǎnr?
男：太 贵 了，能 不 能 便宜 点儿？

Duìbuqǐ, zhèlǐ bù jiǎngjià.
女：对不起，这里 不 讲价。

Nán de zài zuò shénme?
问：男 的 在 做 什么？

23.

Nǐ duō cháng shíjiān zuò yí cì měiróng?
男：你 多 长 时间 做 一 次 美容？

Dàgài yí ge yuè yí cì.
女：大概 一 个 月 一 次。

Nǚ de duō cháng shíjiān zuò yí cì měiróng?
问：女 的 多 长 时间 做 一 次 美容？

24.

Zhè jǐ tiān Mǎlì zěnme méi lái shàngkè?
男：这 几天 玛丽 怎么 没 来 上课？

Tā shēngbìng le, zài sùshè xiūxi ne.
女：她 生病 了，在 宿舍 休息 呢。

Mǎlì zěnme le?
问：玛丽 怎么 了？

25.

Nǐ zuì xǐhuan shàng shénme kè?
男：你 最 喜欢 上 什么 课？

Wǒ zuì xǐhuan shàng Zhōngguó wénhuà kè.
女：我 最 喜欢 上 中国 文化 课。

Nǚ de xǐhuan shàng shénme kè?
问：女 的 喜欢 上 什么 课？

26.

Jīntiān shì nǐ de suì shēngrì?
男：今天 是 你的 23 岁 生日？

Shì a, wǒ yòu zhǎngle yí suì.
女：是 啊，我 又 长了 一 岁。

Nǚ de duō dà le?
问：女 的 多 大 了？

27.

Nǐ bú shì yào chūqu ma?
男： 你 不 是 要 出去 吗？

Wàimiàn xià yǔ le.
女： 外面 下 雨 了。

Nǚ de wèi shénme méi chūqu?
问： 女 的 为 什么 没 出去？

28.

Zhège diànshàn yòngle liǎng ge xīngqī jiù huài le.
男： 这个 电扇 用了 两 个 星期 就 坏 了。

Wǒmen kěyǐ gěi nín huàn yí ge xīn de.
女： 我们 可以 给 您 换 一个 新 的。

Tāmen kěnéng zài nǎr?
问： 他们 可能 在 哪儿？

29.

Zhè jiàn yīfu zěnmeyàng?
男： 这 件 衣服 怎么样？

Bú dà bù xiǎo, zhèng héshì.
女： 不 大 不 小， 正 合适。

Nán de de yīfu zěnmeyàng?
问： 男 的 的 衣服 怎么样？

30.

Shénme shíhou kāi yùndònghuì?
男： 什么 时候 开 运动会？

yuè hào.
女： 4 月 23 号。

Tāmen nǎ tiān kāi yùndònghuì?
问： 他们 哪 天 开 运动会？

Dì-sì bùfen
第四 部分

Yígòng ge tí, měi tí tīng liǎng cì.
一共 5 个 题， 每 题 听 两 次。

Lìrú:
例如：

Qǐng zài zhèr xiě nǐ de míngzi.
女： 请 在 这儿 写 你 的 名字。

Shì zhèr ma?
男： 是 这儿 吗？

Bú shì, shì zhèr.
女： 不 是，是 这儿。

Hǎo, xièxie.
男： 好， 谢谢。

Nán de yào xiě shénme?
问： 男 的 要 写 什么？

Xiànzài kāishǐ dì tí:
现在 开始 第 31 题：

31.

Tiānqì yùbào shuō míngtiān yào xià xuě.
男： 天气 预报 说 明天 要 下 雪。

Yào xià xuě? Zhēnde ma?
女： 要 下 雪？ 真的 吗？

Shì a. Tiānqì yùbào shì zhème shuō de.
男： 是 啊。天气 预报 是 这么 说 的。

Tài hǎo le! Wǒ hái méi jiànguo xià xuě ne.
女： 太 好 了! 我 还 没 见过 下 雪 呢。

Míngtiān tiānqì zěnmeyàng?
问： 明天 天气 怎么样？

32.

Hòutiān de yīnyuèhuì nǐ qù bu qù?
女： 后天 的 音乐会 你 去 不 去？

Wǒ hěn xiǎng qù, kěshì méiyǒu shíjiān.
男： 我 很 想 去，可是 没有 时间。

Nà wǒ zìjǐ qù ba.
女： 那 我 自己 去 吧。

Bù hǎoyìsi, xià cì yídìng hé nǐ yìqǐ qù.
男： 不 好意思，下 次 一定 和 你 一起 去。

Hòutiān shéi qù cānjiā yīnyuèhuì?
问： 后天 谁 去 参加 音乐会？

33.

Nǐ hái zài fàndiàn ma?
男：你 还 在 饭店 吗？

Zài. Yǒu shénme shì?
女：在。有 什么 事？

Wǒ de píbāo wàng zài yǐzi shang le.
男：我 的 皮包 忘 在 椅子 上 了。

Kànjiàn le, wǒ gěi nǐ dài huíqu.
女：看见 了，我 给 你 带 回去。

Nán de de píbāo zài nǎr ne?
问：男 的 的皮包 在 哪儿 呢？

34.

Nǐ zěnme yì tiān dōu méi chīfàn?
男：你 怎么 一 天 都 没 吃饭？

Wǒ yá téng, kěnéng zuótiān chīle tài duō tián de dōngxi.
女：我 牙疼，可能 昨天 吃了 太 多 甜 的 东西。

Wǒ péi nǐ qù yīyuàn kànkan ba.
男：我 陪 你去 医院 看看 吧。

Hǎo de.
女：好 的。

Nǚ de zěnme le?
问：女 的 怎么 了？

35.

Míngtiān shàngwǔ qù Běijīng de huǒchē hái yǒu piào ma?
女：明天 上午 去北京 的 火车 还 有 票 吗？

Yǒu.
男：有。

Wǒ yào liǎng zhāng.
女：我 要 两 张。

Yígòng shì kuài qián.
男：一共 是 400 块 钱。

Nǚ de mǎile jǐ zhāng huǒchēpiào?
问：女 的 买了 几 张 火车票？

Tīnglì kǎoshì xiànzài jiéshù.
听力 考试 现在 结束。

HSK（二级）模拟试卷 *9*

（音乐，30秒，渐弱）

Dàjiā hǎo! Huānyíng cānjiā　　　 èr jí　 kǎoshì.
大家 好！　欢迎　 参加 HSK（二级）考试。

Dàjiā hǎo! Huānyíng cānjiā　　　 èr jí　 kǎoshì.
大家 好！　欢迎　 参加 HSK（二级）考试。

Dàjiā hǎo! Huānyíng cānjiā　　　 èr jí　 kǎoshì.
大家 好！　欢迎　 参加 HSK（二级）考试。

　　　　 èr jí　 tīnglì kǎoshì fēn sì bùfen, gòng　　 tí.
HSK（二级）听力 考试 分 四 部分，　共 35 题。

Qǐng dàjiā zhùyì,　 tīnglì kǎoshì xiànzài kāishǐ.
请 大家 注意，听力 考试　现在　开始。

Dì-yī bùfen
第一 部分

Yígòng　　 ge tí, měi tí tīng liǎng cì.
一共 10 个 题，每 题 听 两 次。

Lìrú: Wǒmen jiā yǒu sān kǒu rén.
例如： 我们 家 有 三 口 人。

　　　 Wǒ měitiān zuò gōnggòng qìchē qù shàngbān.
　　　 我 每天 坐 公共 汽车 去 上班。

Xiànzài kāishǐ dì　　 tí：
现在　开始 第 1 题：

　　 Shàngwǔ wǒ dǎsǎo fángjiān le.
1.　 上午 我 打扫 房间 了。

　　 Tā zhèngzài xiě shūfǎ ne.
2. 他 正在 写 书法 呢。

　　 Qiáng shang guàzhe tā de zhàopiàn.
3. 墙 上 挂着 他 的 照片。

　　 Wǒ xiǎng zài chī yí ge jiǎozi.
4. 我 想 再 吃 一 个 饺子。

Chīwán fàn, wǒmen yìqǐ qù xiàoyuán li sànsan bù ba.
5. 吃完 饭，我们 一起去 校园 里 散散 步 吧。

Zài wàimiàn zǒule yì tiān, hē bēi shuǐ ba.
6. 在 外面 走了 一 天，喝杯 水 吧。

Wǒ zài shítáng chī wǔfàn.
7. 我 在 食堂 吃 午饭。

Wǒ zhèng yào chūmén shí, diànhuàlíng xiǎng le.
8. 我 正 要 出门 时，电话铃 响 了。

Zhè sān ge píngguǒ yǒu yì jīn zhòng.
9. 这 三 个 苹果 有 一斤 重。

Wǒ duì jīngjù hěn gǎn xìngqù.
10. 我 对 京剧 很 感 兴趣。

Dì-èr bùfen
第二 部分

Yígòng   ge tí, měi tí tīng liǎng cì.
一共 10 个题，每 题 听 两 次。

Lìrú：
例如：

Nǐ xǐhuan shénme yùndòng?
男：你 喜欢 什么 运动?

Wǒ xǐhuan dǎ wǎngqiú.
女：我 喜欢 打 网球。

Xiànzài kāishǐ dì   dào   tí:
现在 开始 第 11 到 15 题：

11.

Zhèr zuò de cài hǎochī ma?
男：这儿 做 的 菜 好吃 吗?

Wǒ juéde fēicháng hǎochī.
女：我 觉得 非常 好吃。

12.

Nǐ gēge yǐjīng gōngzuò le?
男：你 哥哥 已经 工作 了?

Shì, tā zài yì jiā dà gōngsī shàngbān.
女：是，他 在 一 家 大 公司 上班。

13.

女： Wǒmen dàjiā dōu zài máng, tā què zài nàr shuìjiào.
我们 大家 都 在 忙，他 却 在 那儿 睡觉。

男： Tā zuótiān jiābān dào hěn wǎn, tài lèi le.
他 昨天 加班 到 很 晚，太 累 了。

14.

男： Nàxiē shì shénme?
那些 是 什么？

女： Wǒ gāng mǎi de shuǐguǒ.
我 刚 买 的 水果。

15.

男： Nǐ zěnme qù Dàlián?
你 怎么 去 大连？

女： Wǒ zuò fēijī qù, fēijī kuài.
我 坐 飞机 去，飞机 快。

Xiànzài kāishǐ dì dào tí:
现在 开始 第 16 到 20 题：

16.

男： Zhè tǐyùchǎng zhēn dà!
这 体育场 真 大！

女： Zhè shì jīnnián xīn jiàn de.
这 是 今年 新 建 的。

17.

女： Nǐ kě le ba?
你 渴 了 吧？

男： Shì, qǐng gěi wǒ yì bēi guǒzhī.
是，请 给 我 一 杯 果汁。

18.

女： Dēng shì shéi xiūhǎo de?
灯 是 谁 修好 的？

男： Shì wǒ.
是 我。

19.

Kuài dào Duānwǔ Jié le.
男：快 到   端午 节了。

Wǒmen yào bu yào mǎi diǎnr zòngzi?
女：我们 要 不 要 买 点儿 粽子？

20.

Nǐ de chē shì shénme yánsè de?
男：你 的 车 是 什么   颜色 的？

Wǒ de chē shì hēisè de.
女：我 的 车 是 黑色 的。

Dì-sān bùfen
第三 部分

Yígòng   ge tí, měi tí tīng liǎng cì.
一共 10 个 题，每 题 听   两 次。

Lìrú：
例如：

Xiǎo Wáng, zhèlǐ yǒu jǐ ge bēizi, nǎge shì nǐ de?
男：小   王，这里 有 几 个 杯子，哪个 是 你 的？

Zuǒbian nàge hóngsè de shì wǒ de.
女：左边   那个 红色 的 是 我 的。

Xiǎo Wáng de bēizi shì shénme yánsè de?
问：小   王 的 杯子 是 什么 颜色 的？

Xiànzài kāishǐ dì   tí：
现在 开始 第 21 题：

21.

Zhè wèi lǎoshī jiǎngkè jiǎng de zěnmeyàng?
男：这 位 老师 讲课 讲 得 怎么样？

Jiǎng de hěn hǎo, xuéshengmen dōu hěn xǐhuan tā.
女：讲 得 很 好，学生们   都 很 喜欢 他。

Lǎoshī jiǎng de zěnmeyàng?
问：老师 讲 得 怎么样？

22.

女： Zuótiān Xiǎo Wáng shēngbìng zhùyuàn le.
　　昨天 小 王 生病 住院 了。

男： Wǒmen xiàbān yǐhòu yìqǐ qù kànkan tā ba.
　　我们 下班 以后 一起 去 看看 他吧。

问： Xiàbān hòu tāmen yào qù nǎr?
　　下班 后 他们 要 去 哪儿?

23.

男： Nǐ xǐhuan dōngtiān háishi xǐhuan xiàtiān?
　　你 喜欢 冬天 还是 喜欢 夏天?

女： Wǒ xǐhuan xiàtiān.
　　我 喜欢 夏天。

问： Nǚ de xǐhuan shénme jìjié?
　　女 的 喜欢 什么 季节?

24.

男： Nǐ yòu qù Běijīng le?
　　你 又 去 北京 了?

女： Shì a, wǒ jīnnián yígòng qùle sì cì Běijīng.
　　是 啊, 我 今年 一共 去 了四 次 北京。

问： Nǚ de jīnnián qùle jǐ cì Běijīng?
　　女 的 今年 去了 几 次 北京?

25.

男： Tīngshuō jīntiān nǐ qǐngkè?
　　听说 今天 你 请客?

女： Duì, wǒ zhǎodào gōngzuò le.
　　对, 我 找到 工作 了。

问： Nǚ de wèi shénme qǐngkè?
　　女 的 为 什么 请客?

26.

男： Nǐmen rènshi duō cháng shíjiān le?
　　你们 认识 多 长 时间 了?

女： Wǒmen rènshi sān nián le, tā yìzhí duì wǒ hěn hǎo.
　　我们 认识 三 年 了,他 一直 对 我 很 好。

问： Tāmen rènshi duō jiǔ le?
　　他们 认识 多 久了?

27.

男：Nǐ lái de tài wǎn le, yǎnchū yǐjīng kāishǐ le.
你 来 得 太 晚 了， 演出 已经 开始 了。

女：Duìbuqǐ, lùshang chē tài duō le.
对不起， 路上 车 太 多 了。

问：Tāmen yào zuò shénme?
他们 要 做 什么？

28.

女：Nǐ gēn wǒmen yìqǐ chī wǎnfàn ba.
你 跟 我们 一起 吃 晚饭 吧。

男：Xièxie, wǒ yǐjīng chīwán wǎnfàn le.
谢谢， 我 已经 吃完 晚饭 了。

问：Nán de shì shénme yìsi?
男 的 是 什么 意思？

29.

男：Xiànzài shì bā diǎn wǔshí fēn.
现在 是 八点 五十 分。

女：Hái yǒu shí fēnzhōng fēijī jiù qǐfēi le.
还 有 十 分钟 飞机 就 起飞 了。

问：Fēijī shénme shíhou qǐfēi?
飞机 什么 时候 起飞？

30.

女：Nǎ wèi shì nǐ de lǎoshī?
哪 位 是 你 的 老师？

男：Zuò zài zuǒbian de nà wèi jiù shì.
坐 在 左边 的 那 位 就 是。

问：Lǎoshī zuò zài nǎr?
老师 坐 在 哪儿？

Dì-sì bùfen
第四 部分

Yígòng ge tí, měi tí tīng liǎng cì.
一共 5 个 题， 每 题 听 两 次。

Lìrú:
例如：

Qǐng zài zhèr xiě nǐ de míngzi.
女： 请 在 这儿 写 你 的 名字。

Shì zhèr ma?
男： 是 这儿 吗？

Bú shì, shì zhèr.
女： 不 是， 是 这儿。

Hǎo, xièxie.
男： 好， 谢谢。

Nán de yào xiě shénme?
问： 男 的 要 写 什么？

Xiànzài kāishǐ dì   tí:
现在 开始 第 31 题：

31.
Nǐ dìng de shì nǎ tiān de jīpiào?
男： 你 订 的 是 哪 天 的 机票？

yuè   hào de.
女： 5 月 20 号 的。

Nà tiān shì xīngqī jǐ?
男： 那 天 是 星期 几？

Xīngqīsì.
女： 星期四。

Nǚ de nǎ tiān chéng fēijī?
问： 女 的 哪 天 乘 飞机？

32.
Zhè zhāng   shì wǒ zài wǎngshang mǎi de.
女： 这 张 VCD 是 我 在 网上 买 的。

Shì ma? Wǎngshang mǎi dōngxi guì bu guì?
男： 是 吗？ 网上 买 东西 贵不 贵？

Bú guì, zhè zhāng   cái   kuài.
女： 不 贵， 这 张 VCD 才 70 块。

Zhèyàng de   zài shāngdiàn li yào yìbǎi duō kuài ne.
男： 这样 的VCD在 商店 里 要 一百 多 块 呢。

Nǚ de mǎi   huāle duōshao qián?
问： 女 的 买 VCD 花了 多少 钱？

33.

男： Xiǎo Wú zài ma?
小 吴 在 吗?

女： Tā shuìjiào ne, wǒ qù jiào tā.
他 睡觉 呢，我 去 叫 他。

男： Búyòng le, ràng tā gěi wǒ dǎ diànhuà ba.
不用 了，让 他 给我 打 电话 吧。

女： Hǎo de.
好 的。

问： Xiǎo Wú zài gàn shénme?
小 吴 在 干 什么?

34.

女： Nǐ hái méi qùguo Chángchéng?
你 还 没 去过 长城?

男： Shì a, lái Běijīng yì nián le, yìzhí méi qù.
是 啊，来 北京 一 年 了，一直 没 去。

女： Zhège zhōumò wǒmen yìqǐ qù ba.
这个 周末 我们 一起 去 吧。

男： Tài hǎo le!
太 好 了!

问： Zhōumò tāmen yào qù nǎr?
周末 他们 要 去 哪儿?

35.

男： Qǐngwèn Wáng xiānsheng shì zài zhège bàngōngshì ma?
请问 王 先生 是 在 这个 办公室 吗?

女： Shì, nǐ zhǎo tā yǒu shì ma?
是，你 找 他 有 事 吗?

男： Wǒ shì tā de péngyou, lái kànkan tā.
我 是 他 的 朋友，来 看看 他。

女： Tā qù Běijīng kāihuì le.
他 去 北京 开会 了。

问： Wáng xiānsheng zài bàngōngshì ma?
王 先生 在 办公室 吗?

Tīnglì kǎoshì xiànzài jiéshù.
听力 考试 现在 结束。

HSK （二级）模拟试卷 *10*

（音乐，30秒，渐弱）

Dàjiā hǎo! Huānyíng cānjiā　　er jí　kǎoshì.
大家 好!　欢迎　参加 HSK （二级） 考试。

Dàjiā hǎo! Huānyíng cānjiā　　er jí　kǎoshì.
大家 好!　欢迎　参加 HSK （二级） 考试。

Dàjiā hǎo! Huānyíng cānjiā　　er jí　kǎoshì.
大家 好!　欢迎　参加 HSK （二级） 考试。

　　 er jí　tīnglì kǎoshì fēn sì bùfen,　gòng　　 tí.
HSK （二级） 听力 考试 分 四 部分，　共 35 题。

Qǐng dàjiā zhùyì,　tīnglì kǎoshì xiànzài kāishǐ.
请 大家 注意，听力 考试　现在　开始。

Dì-yī bùfen
第一 部分

Yígòng　　ge tí, měi tí tīng liǎng cì.
一共 10 个 题，每 题 听 两 次。

Lìrú:　　Wǒmen jiā yǒu sān kǒu rén.
例如：　我们　家 有　三　口 人。

　　　Wǒ měitiān zuò gōnggòng qìchē qù shàngbān.
　　　我　每天　坐　公共　汽车 去　上班。

Xiànzài kāishǐ dì　　　 tí:
现在　开始 第 1 题：

　　Tā de háizi kě'ài jí le.
1. 她 的 孩子 可爱 极 了。

　　Wǒmen zhōngyú pádàole shāndǐng.
2. 我们　终于 爬到了　山顶。

　　Wǒ de péngyou shì yí ge sījī.
3. 我 的　朋友　是 一 个 司机。

　　Mìshū gěi wǒ dàole yì bēi rè chá.
4. 秘书 给 我 倒了 一 杯 热 茶。

Nǐ jiāo fūrén kāi chē?
5. 你 教 夫人 开 车？

Shānpō shang yǒu yì qún yáng.
6. 山坡 上 有 一 群 羊。

Wǒ qí de zìxíngchē yě shì tā mǎi de.
7. 我 骑 的 自行车 也 是 他 买 的。

Tāmen zhèngzài cāochǎng shang tī qiú ne.
8. 他们 正在 操场 上 踢 球 呢。

Zhè cháng yǔ yǐjīng xiàle liǎng tiān le.
9. 这 场 雨 已经 下了 两 天 了。

Tài lèi le, wǒ xiǎng xiūxi xiūxi.
10. 太 累了，我 想 休息 休息。

Dì-èr bùfen
第二 部分

Yígòng ge tí, měi tí tīng liǎng cì.
一共 10 个 题，每 题 听 两 次。

Lìrú:
例如：

Nǐ xǐhuan shénme yùndòng?
男：你 喜欢 什么 运动？

Wǒ xǐhuan dǎ wǎngqiú.
女：我 喜欢 打 网球。

Xiànzài kāishǐ dì dào tí:
现在 开始 第 11 到 15 题：

11.

Nǐ xǐhuan shénme dòngwù?
男：你 喜欢 什么 动物？

Wǒ xǐhuan shīzi.
女：我 喜欢 狮子。

12.

Nǐ de shǒubiǎo zhǎodàole méiyǒu?
女：你 的 手表 找到了 没有？

Zhǎodào le. Wǒ fàng zài zhuōzi shang le.
男：找到 了。我 放 在 桌子 上 了。

13.

男： Zhè zhǒng miànbāo hěn hǎochī.
这 种 面包 很 好吃。

女： Ruǎn bu ruǎn? Wǒ xǐhuan chī ruǎn de.
软 不 软？ 我 喜欢 吃 软 的。

14.

女： Nǐ jīngcháng yóuyǒng ma?
你 经常 游泳 吗？

男： Wǒ jīngcháng yóu.
我 经常 游。

15.

男： Nǐ měitiān jǐ diǎn shàngbān?
你 每天 几 点 上班？

女： Wǒ měitiān jiǔ diǎn shàngbān.
我 每天 九 点 上班。

Xiànzài kāishǐ dì dào tí:
现在 开始 第 16 到 20 题：

16.

男： Gēn xiàozhǎng wòshǒu de rén shì shéi?
跟 校长 握手 的 人 是 谁？

女： Shì wǒmen de lǎoshī.
是 我们 的 老师。

17.

男： Xuě xià de dà ma?
雪 下 得 大 吗？

女： Hěn dà, shù shang、dìshang dōu shì báisè de.
很 大，树 上、 地上 都 是 白色 的。

18.

男： Wǒ xià zhōu yào qù lǚyóu.
我 下 周 要 去 旅游。

女： Nà děng nǐ huílai zài shuō ba.
那 等 你 回来 再 说 吧。

19.

Nǐ yào qù nǎr?
男：你 要 去 哪儿？

Wǒ qù shìchǎng mǎi cài.
女：我 去 市场 买 菜。

20.

Zhège dàngāo yǒudiǎnr xiǎo, néng huàn ge dà diǎnr de ma?
女：这个 蛋糕 有点儿 小， 能 换 个 大 点儿 的 吗？

Kěyǐ, zhège zěnmeyàng?
男：可以， 这个 怎么样？

Dì-sān bùfen
第三 部分

Yígòng ge tí, měi tí tīng liǎng cì.
一共 10 个 题，每 题 听 两次。

Lìrú:
例如：

Xiǎo Wáng, zhèlǐ yǒu jǐ ge bēizi, nǎge shì nǐ de?
男：小 王， 这里 有 几 个 杯子，哪个 是 你 的？

Zuǒbian nàge hóngsè de shì wǒ de.
女：左边 那个 红色 的 是 我 的。

Xiǎo Wáng de bēizi shì shénme yánsè de?
问：小 王 的 杯子 是 什么 颜色 的？

Xiànzài kāishǐ dì tí:
现在 开始 第 21 题：

21.

Tāmen gēn nǐ shuō Hànyǔ háishi shuō Yīngyǔ?
男：他们 跟 你 说 汉语 还是 说 英语？

Tāmen gēn wǒ shuō Yīngyǔ, wǒ gēn tāmen shuō Hànyǔ.
女：他们 跟 我 说 英语，我 跟 他们 说 汉语。

Nǚ de shuō shénme yǔ?
问：女 的 说 什么 语？

22.

男：
Nǐ shì nǎ nián chūshēng de?
你 是 哪 年 出生 的？

女：
nián.
1983 年。

问：
Nǚ de shì nǎ nián chūshēng de?
女 的 是 哪 年 出生 的？

23.

男：
Kuài diǎnr! Wǒmen yǐjīng wǎn le.
快 点儿！我们 已经 晚 了。

女：
Bié zháojí, lí fēijī qǐfēi shíjiān hái yǒu liǎng ge xiǎoshí ne.
别 着急，离 飞机 起飞 时间 还有 两 个 小时 呢。

问：
Tāmen yào qù nǎr?
他们 要 去 哪儿？

24.

男：
Gāngcái nǐ gēn shéi shuōhuà ne?
刚才 你 跟 谁 说话 呢？

女：
Shì línjū Wáng xiānsheng.
是 邻居 王 先生。

问：
Nǚ de de línjū shì shéi?
女 的 的 邻居 是 谁？

25.

男：
Nǐ jīntiān zěnme zhème ānjìng?
你 今天 怎么 这么 安静？

女：
Wǒ shēntǐ bù shūfu, bù xiǎng shuōhuà.
我 身体 不 舒服，不 想 说话。

问：
Nǚ de wèi shénme bù xiǎng shuōhuà?
女 的 为 什么 不 想 说话？

26.

男：
Duìbuqǐ, wǒ chídào le.
对不起，我 迟到 了。

女：
Méi guānxi, hái méi kāishǐ shàngkè ne.
没 关系，还 没 开始 上课 呢。

问：
Nǚ de shì shénme yìsi?
女 的 是 什么 意思？

27.

男： Zhè xīhóngshì zěnme mài?
这　西红柿　怎么　卖？

女： Sān kuài wǔ yì jīn.
三　块　五　一　斤。

问： Xīhóngshì duōshao qián yì jīn?
西红柿　多少　钱　一　斤？

28.

男： Qǐngwèn zhèlǐ yǒu kāfēitīng ma?
请问　这里　有　咖啡厅　吗？

女： Gōngyuán lǐmiàn méiyǒu, nǐ qù gōngyuán wàimiàn kànkan ba.
公园　里面　没有，你去　公园　外面　看看　吧。

问： Xiànzài tāmen kěnéng zài nǎr?
现在　他们　可能　在　哪儿？

29.

女： Nǐ huàn shǒujī le?
你　换　手机了？

男： Shì a, yǐqián de tài jiù le.
是　啊，以前　的　太旧了。

问： Nán de wèi shénme huàn shǒujī?
男　的　为　什么　换　手机？

30.

男： Wǒmen míngtiān jǐ diǎn chūfā?
我们　　明天　几点　出发？

女： Wǒmen míngtiān qī diǎn yí kè chūfā.
我们　　明天　七点　一刻　出发。

问： Tāmen míngtiān jǐ diǎn chūfā?
他们　　明天　几点　出发？

Dì-sì bùfen
第四　部分

Yígòng ge tí, měi tí tīng liǎng cì.
一共　5个题，每题　听　两次。

Lìrú:
例如：

Qǐng zài zhèr xiě nǐ de míngzi.
女：请 在 这儿 写 你 的 名字。

Shì zhèr ma?
男：是 这儿 吗?

Bú shì, shì zhèr.
女：不 是， 是 这儿。

Hǎo, xièxie.
男：好， 谢谢。

Nán de yào xiě shénme?
问：男 的 要 写 什么?

Xiànzài kāishǐ dì   tí:
现在 开始 第 31 题：

31.

Míngwǎn de jiànmiànhuì nǐ néng qù ma?
男： 明晚 的 见面会 你 能 去 吗?

Míngtiān wǒ yào kāihuì, kěnéng méiyǒu shíjiān.
女： 明天 我 要 开会，可能 没有 时间。

Wǒ míngtiān yào qù Běijīng, hòutiān cái néng huílai.
男： 我 明天 要 去 北京，后天 才 能 回来。

Nà wǒ qù ba.
女：那 我 去 吧。

Míngwǎn shéi qù cānjiā jiànmiànhuì?
问： 明晚 谁 去 参加 见面会?

32.

Nǐ zěnme zhànzhe kàn diànshì ne?
女：你 怎么 站着 看 电视 呢?

Wǒ yǐjīng zuòle sān ge xiǎoshí le.
男：我 已经 坐了 三 个 小时 了。

Shì ma? Diànshì jiémù yídìng hěn yǒu yìsi ba?
女：是 吗? 电视 节目 一定 很 有 意思 吧?

Shì wǒ zuì xǐhuan de dònghuàpiàn.
男：是 我 最 喜欢 的 动画片。

Nán de xǐhuan kàn shénme?
问：男 的 喜欢 看 什么?

33.

Wǒ xiān zǒu le.
男：我 先 走 了。

Nǐ hái méi chīwán zǎofàn ne.
女：你 还 没 吃完 早饭 呢。

Bù chī le, wǒ yào chídào le.
男：不 吃了，我 要 迟到 了。

Nǚ de ràng nán de zuò shénme?
问：女 的 让 男 的 做 什么？

34.

Mǎshàng jiù yào fàng shǔjià le, nǐ yǒu shénme dǎsuàn?
男：马上 就要 放 暑假了，你有 什么 打算？

Wǒ xiǎng qù lǚyóu, kěshì bù zhīdào qù nǎr hǎo.
女：我 想 去 旅游，可是 不 知道 去 哪儿 好。

Wǒ xiǎng qù Tiānjīn kànkan, yìqǐ qù ba.
男：我 想 去 天津 看看，一起 去 吧。

Hǎo ba.
女：好 吧。

Tāmen yào qù nǎr lǚyóu?
问：他们 要 去 哪儿 旅游？

35.

Zhè cì kǎoshì, nǐ kǎo de zěnmeyàng?
男：这 次 考试，你 考 得 怎么样？

Hái méi kàndào chéngjì ne.
女：还 没 看到 成绩 呢。

Shénme shíhou néng kàndào?
男：什么 时候 能 看到？

Tīngshuō xià zhōuyī kěyǐ.
女：听说 下 周一 可以。

Shénme shíhou néng zhīdào kǎoshì chéngjì?
问：什么 时候 能 知道 考试 成绩？

Tīnglì kǎoshì xiànzài jiéshù.
听力 考试 现在 结束。

答案 Answer Key

HSK（二级）模拟试卷 *1*

一、听力

第一部分

1. √	2. ×	3. √	4. √	5. √
6. √	7. ×	8. √	9. ×	10. √

第二部分

11. D	12. A	13. F	14. E	15. C
16. C	17. A	18. B	19. E	20. D

第三部分

21. B	22. A	23. C	24. C	25. B
26. A	27. B	28. C	29. B	30. A

第四部分

31. B	32. A	33. A	34. C	35. B

二、阅读

第一部分

36. A	37. C	38. B	39. F	40. E

第二部分

41. B	42. F	43. D	44. C	45. A

第三部分

46. √	47. √	48. ×	49. ×	50. ×

第四部分

51. A	52. D	53. B	54. F	55. C
56. C	57. D	58. E	59. B	60. A

HSK（二级）模拟试卷 2

一、听力

第一部分

1. √   2. ✕   3. √   4. √   5. ✕
6. ✕   7. ✕   8. √   9. ✕   10. ✕

第二部分

11. B   12. C   13. A   14. E   15. D
16. C   17. A   18. B   19. E   20. D

第三部分

21. B   22. A   23. C   24. A   25. B
26. C   27. C   28. B   29. A   30. C

第四部分

31. C   32. B   33. C   34. B   35. C

二、阅读

第一部分

36. B   37. F   38. E   39. D   40. C

第二部分

41. D   42. F   43. B   44. A   45. E

第三部分

46. ✕   47. √   48. √   49. √   50. √

第四部分

51. B   52. C   53. A   54. F   55. E
56. B   57. D   58. A   59. E   60. C

HSK（二级）模拟试卷 *3*

一、听 力

第一部分

1. √ 2. √ 3. √ 4. √ 5. ×
6. √ 7. √ 8. × 9. × 10. ×

第二部分

11. E 12. D 13. F 14. C 15. B
16. C 17. D 18. B 19. A 20. E

第三部分

21. C 22. C 23. B 24. A 25. B
26. A 27. C 28. A 29. B 30. A

第四部分

31. C 32. A 33. B 34. C 35. B

二、阅 读

第一部分

36. F 37. B 38. E 39. D 40. A

第二部分

41. D 42. B 43. E 44. A 45. C

第三部分

46. √ 47. × 48. √ 49. × 50. √

第四部分

51. D 52. E 53. C 54. F 55. B
56. D 57. A 58. B 59. E 60. C

HSK（二级）模拟试卷 4

一、听 力

第一部分

1. √ 2. × 3. √ 4. √ 5. ×

6. √ 7. √ 8. √ 9. × 10. √

第二部分

11. C 12. A 13. F 14. B 15. D

16. E 17. C 18. D 19. A 20. B

第三部分

21. C 22. B 23. A 24. B 25. C

26. B 27. B 28. C 29. B 30. C

第四部分

31. A 32. C 33. B 34. C 35. A

二、阅 读

第一部分

36. E 37. B 38. A 39. F 40. D

第二部分

41. F 42. B 43. A 44. D 45. E

第三部分

46. √ 47. × 48. √ 49. √ 50. √

第四部分

51. C 52. A 53. E 54. B 55. D

56. D 57. E 58. B 59. A 60. C

HSK（二级）模拟试卷 5

一、听 力

第一部分

1. √   2. √   3. ×   4. ×   5. ×
6. √   7. √   8. ×   9. √   10. √

第二部分

11. E   12. A   13. F   14. C   15. D
16. C   17. E   18. B   19. D   20. A

第三部分

21. A   22. B   23. B   24. C   25. A
26. B   27. C   28. B   29. A   30. B

第四部分

31. A   32. B   33. C   34. B   35. A

二、阅 读

第一部分

36. F   37. B   38. C   39. A   40. E

第二部分

41. D   42. B   43. C   44. F   45. A

第三部分

46. √   47. √   48. ×   49. √   50. ×

第四部分

51. B   52. F   53. D   54. A   55. C
56. B   57. D   58. A   59. E   60. C

HSK（二级）模拟试卷 6

一、听力

第一部分

1. √   2. ×   3. ×   4. √   5. ×
6. √   7. ×   8. ×   9. √   10. ×

第二部分

11. C   12. F   13. E   14. B   15. D
16. B   17. C   18. D   19. A   20. E

第三部分

21. C   22. A   23. B   24. B   25. C
26. B   27. A   28. C   29. B   30. A

第四部分

31. B   32. C   33. A   34. C   35. B

二、阅读

第一部分

36. C   37. A   38. B   39. E   40. D

第二部分

41. B   42. D   43. A   44. F   45. E

第三部分

46. √   47. √   48. ×   49. ×   50. ×

第四部分

51. D   52. F   53. B   54. A   55. C
56. C   57. E   58. A   59. B   60. D

HSK（二级）模拟试卷 7

一、听 力

第一部分

1. √   2. ×   3. ×   4. √   5. √
6. ×   7. √   8. ×   9. √   10. ×

第二部分

11. A   12. F   13. E   14. C   15. D
16. C   17. E   18. A   19. B   20. D

第三部分

21. B   22. A   23. C   24. A   25. B
26. C   27. A   28. C   29. B   30. C

第四部分

31. B   32. A   33. C   34. A   35. B

二、阅 读

第一部分

36. B   37. C   38. D   39. F   40. E

第二部分

41. D   42. E   43. A   44. B   45. C

第三部分

46. √   47. √   48. √   49. ×   50. √

第四部分

51. B   52. F   53. D   54. A   55. E
56. B   57. D   58. A   59. E   60. C

HSK（二级）模拟试卷 8

一、听力

第一部分

1. ×   2. √   3. ×   4. √   5. √
6. ×   7. ×   8. √   9. ×   10. √

第二部分

11. C   12. D   13. A   14. F   15. E
16. D   17. C   18. E   19. B   20. A

第三部分

21. B   22. A   23. C   24. A   25. B
26. B   27. A   28. C   29. B   30. C

第四部分

31. A   32. B   33. C   34. C   35. B

二、阅读

第一部分

36. B   37. C   38. E   39. F   40. A

第二部分

41. D   42. F   43. C   44. A   45. B

第三部分

46. √   47. ×   48. √   49. ×   50. √

第四部分

51. B   52. D   53. A   54. F   55. C
56. B   57. D   58. A   59. C   60. E

HSK（二级）模拟试卷 *9*

一、听力

第一部分

1. ✕   2. ✓   3. ✕   4. ✓   5. ✕
6. ✓   7. ✕   8. ✓   9. ✕   10. ✓

第二部分

11. B   12. C   13. F   14. E   15. A
16. E   17. C   18. A   19. B   20. D

第三部分

21. A   22. B   23. B   24. C   25. A
26. A   27. C   28. A   29. C   30. A

第四部分

31. B   32. A   33. B   34. C   35. B

二、阅读

第一部分

36. F   37. D   38. A   39. C   40. B

第二部分

41. F   42. D   43. E   44. B   45. C

第三部分

46. ✕   47. ✓   48. ✓   49. ✕   50. ✕

第四部分

51. B   52. A   53. F   54. D   55. C
56. B   57. D   58. A   59. E   60. C

HSK（二级）模拟试卷 *10*

一、听 力

第一部分

1. √　　2. ×　　3. ×　　4. √　　5. ×
6. √　　7. √　　8. √　　9. ×　　10. √

第二部分

11. C　　12. A　　13. D　　14. F　　15. E
16. D　　17. A　　18. E　　19. C　　20. B

第三部分

21. B　　22. A　　23. B　　24. C　　25. A
26. B　　27. C　　28. A　　29. B　　30. B

第四部分

31. A　　32. C　　33. C　　34. A　　35. B

二、阅 读

第一部分

36. D　　37. F　　38. E　　39. A　　40. B

第二部分

41. B　　42. F　　43. D　　44. E　　45. A

第三部分

46. ×　　47. √　　48. ×　　49. √　　50. √

第四部分

51. E　　52. A　　53. F　　54. B　　55. D
56. D　　57. A　　58. B　　59. E　　60. C

HSK （二级）答题卡

HSK （二级） 答题卡

1. [√] [×]   6. [√] [×]   11. [A] [B] [C] [D] [E] [F]
2. [√] [×]   7. [√] [×]   12. [A] [B] [C] [D] [E] [F]
3. [√] [×]   8. [√] [×]   13. [A] [B] [C] [D] [E] [F]
4. [√] [×]   9. [√] [×]   14. [A] [B] [C] [D] [E] [F]
5. [√] [×]   10. [√] [×]   15. [A] [B] [C] [D] [E] [F]

16. [A] [B] [C] [D] [E] [F]   21. [A] [B] [C]   26. [A] [B] [C]   31. [A] [B] [C]
17. [A] [B] [C] [D] [E] [F]   22. [A] [B] [C]   27. [A] [B] [C]   32. [A] [B] [C]
18. [A] [B] [C] [D] [E] [F]   23. [A] [B] [C]   28. [A] [B] [C]   33. [A] [B] [C]
19. [A] [B] [C] [D] [E] [F]   24. [A] [B] [C]   29. [A] [B] [C]   34. [A] [B] [C]
20. [A] [B] [C] [D] [E] [F]   25. [A] [B] [C]   30. [A] [B] [C]   35. [A] [B] [C]

36. [A] [B] [C] [D] [E] [F]   41. [A] [B] [C] [D] [E] [F]
37. [A] [B] [C] [D] [E] [F]   42. [A] [B] [C] [D] [E] [F]
38. [A] [B] [C] [D] [E] [F]   43. [A] [B] [C] [D] [E] [F]
39. [A] [B] [C] [D] [E] [F]   44. [A] [B] [C] [D] [E] [F]
40. [A] [B] [C] [D] [E] [F]   45. [A] [B] [C] [D] [E] [F]

46. [√] [×]   51. [A] [B] [C] [D] [E] [F]   56. [A] [B] [C] [D] [E] [F]
47. [√] [×]   52. [A] [B] [C] [D] [E] [F]   57. [A] [B] [C] [D] [E] [F]
48. [√] [×]   53. [A] [B] [C] [D] [E] [F]   58. [A] [B] [C] [D] [E] [F]
49. [√] [×]   54. [A] [B] [C] [D] [E] [F]   59. [A] [B] [C] [D] [E] [F]
50. [√] [×]   55. [A] [B] [C] [D] [E] [F]   60. [A] [B] [C] [D] [E] [F]

HSK （二级）答题卡

1. [√] [×]　　6. [√] [×]　　11. [A] [B] [C] [D] [E] [F]
2. [√] [×]　　7. [√] [×]　　12. [A] [B] [C] [D] [E] [F]
3. [√] [×]　　8. [√] [×]　　13. [A] [B] [C] [D] [E] [F]
4. [√] [×]　　9. [√] [×]　　14. [A] [B] [C] [D] [E] [F]
5. [√] [×]　　10. [√] [×]　　15. [A] [B] [C] [D] [E] [F]

16. [A] [B] [C] [D] [E] [F]　　21. [A] [B] [C]　　26. [A] [B] [C]　　31. [A] [B] [C]
17. [A] [B] [C] [D] [E] [F]　　22. [A] [B] [C]　　27. [A] [B] [C]　　32. [A] [B] [C]
18. [A] [B] [C] [D] [E] [F]　　23. [A] [B] [C]　　28. [A] [B] [C]　　33. [A] [B] [C]
19. [A] [B] [C] [D] [E] [F]　　24. [A] [B] [C]　　29. [A] [B] [C]　　34. [A] [B] [C]
20. [A] [B] [C] [D] [E] [F]　　25. [A] [B] [C]　　30. [A] [B] [C]　　35. [A] [B] [C]

二、阅　读

36. [A] [B] [C] [D] [E] [F]　　41. [A] [B] [C] [D] [E] [F]
37. [A] [B] [C] [D] [E] [F]　　42. [A] [B] [C] [D] [E] [F]
38. [A] [B] [C] [D] [E] [F]　　43. [A] [B] [C] [D] [E] [F]
39. [A] [B] [C] [D] [E] [F]　　44. [A] [B] [C] [D] [E] [F]
40. [A] [B] [C] [D] [E] [F]　　45. [A] [B] [C] [D] [E] [F]

46. [√] [×]　　51. [A] [B] [C] [D] [E] [F]　　56. [A] [B] [C] [D] [E] [F]
47. [√] [×]　　52. [A] [B] [C] [D] [E] [F]　　57. [A] [B] [C] [D] [E] [F]
48. [√] [×]　　53. [A] [B] [C] [D] [E] [F]　　58. [A] [B] [C] [D] [E] [F]
49. [√] [×]　　54. [A] [B] [C] [D] [E] [F]　　59. [A] [B] [C] [D] [E] [F]
50. [√] [×]　　55. [A] [B] [C] [D] [E] [F]　　60. [A] [B] [C] [D] [E] [F]

HSK （二级）答题卡

一、听 力

1. [√] [×]	6. [√] [×]	11. [A] [B] [C] [D] [E] [F]	
2. [√] [×]	7. [√] [×]	12. [A] [B] [C] [D] [E] [F]	
3. [√] [×]	8. [√] [×]	13. [A] [B] [C] [D] [E] [F]	
4. [√] [×]	9. [√] [×]	14. [A] [B] [C] [D] [E] [F]	
5. [√] [×]	10. [√] [×]	15. [A] [B] [C] [D] [E] [F]	

16. [A] [B] [C] [D] [E] [F]	21. [A] [B] [C]	26. [A] [B] [C]	31. [A] [B] [C]
17. [A] [B] [C] [D] [E] [F]	22. [A] [B] [C]	27. [A] [B] [C]	32. [A] [B] [C]
18. [A] [B] [C] [D] [E] [F]	23. [A] [B] [C]	28. [A] [B] [C]	33. [A] [B] [C]
19. [A] [B] [C] [D] [E] [F]	24. [A] [B] [C]	29. [A] [B] [C]	34. [A] [B] [C]
20. [A] [B] [C] [D] [E] [F]	25. [A] [B] [C]	30. [A] [B] [C]	35. [A] [B] [C]

二、阅 读

36. [A] [B] [C] [D] [E] [F]	41. [A] [B] [C] [D] [E] [F]
37. [A] [B] [C] [D] [E] [F]	42. [A] [B] [C] [D] [E] [F]
38. [A] [B] [C] [D] [E] [F]	43. [A] [B] [C] [D] [E] [F]
39. [A] [B] [C] [D] [E] [F]	44. [A] [B] [C] [D] [E] [F]
40. [A] [B] [C] [D] [E] [F]	45. [A] [B] [C] [D] [E] [F]

46. [√] [×]	51. [A] [B] [C] [D] [E] [F]	56. [A] [B] [C] [D] [E] [F]
47. [√] [×]	52. [A] [B] [C] [D] [E] [F]	57. [A] [B] [C] [D] [E] [F]
48. [√] [×]	53. [A] [B] [C] [D] [E] [F]	58. [A] [B] [C] [D] [E] [F]
49. [√] [×]	54. [A] [B] [C] [D] [E] [F]	59. [A] [B] [C] [D] [E] [F]
50. [√] [×]	55. [A] [B] [C] [D] [E] [F]	60. [A] [B] [C] [D] [E] [F]

HSK （二级） 答题卡

一、听　力

1. [√] [×]   6. [√] [×]   11. [A] [B] [C] [D] [E] [F]
2. [√] [×]   7. [√] [×]   12. [A] [B] [C] [D] [E] [F]
3. [√] [×]   8. [√] [×]   13. [A] [B] [C] [D] [E] [F]
4. [√] [×]   9. [√] [×]   14. [A] [B] [C] [D] [E] [F]
5. [√] [×]   10. [√] [×]   15. [A] [B] [C] [D] [E] [F]

16. [A] [B] [C] [D] [E] [F] 21. [A] [B] [C] 26. [A] [B] [C] 31. [A] [B] [C]
17. [A] [B] [C] [D] [E] [F] 22. [A] [B] [C] 27. [A] [B] [C] 32. [A] [B] [C]
18. [A] [B] [C] [D] [E] [F] 23. [A] [B] [C] 28. [A] [B] [C] 33. [A] [B] [C]
19. [A] [B] [C] [D] [E] [F] 24. [A] [B] [C] 29. [A] [B] [C] 34. [A] [B] [C]
20. [A] [B] [C] [D] [E] [F] 25. [A] [B] [C] 30. [A] [B] [C] 35. [A] [B] [C]

二、阅　读

36. [A] [B] [C] [D] [E] [F]   41. [A] [B] [C] [D] [E] [F]
37. [A] [B] [C] [D] [E] [F]   42. [A] [B] [C] [D] [E] [F]
38. [A] [B] [C] [D] [E] [F]   43. [A] [B] [C] [D] [E] [F]
39. [A] [B] [C] [D] [E] [F]   44. [A] [B] [C] [D] [E] [F]
40. [A] [B] [C] [D] [E] [F]   45. [A] [B] [C] [D] [E] [F]

46. [√] [×]   51. [A] [B] [C] [D] [E] [F] 56. [A] [B] [C] [D] [E] [F]
47. [√] [×]   52. [A] [B] [C] [D] [E] [F] 57. [A] [B] [C] [D] [E] [F]
48. [√] [×]   53. [A] [B] [C] [D] [E] [F] 58. [A] [B] [C] [D] [E] [F]
49. [√] [×]   54. [A] [B] [C] [D] [E] [F] 59. [A] [B] [C] [D] [E] [F]
50. [√] [×]   55. [A] [B] [C] [D] [E] [F] 60. [A] [B] [C] [D] [E] [F]

HSK （二级）答题卡

| 一、听　力 |

1. [√] [×]　　　6. [√] [×]　　　11. [A] [B] [C] [D] [E] [F]
2. [√] [×]　　　7. [√] [×]　　　12. [A] [B] [C] [D] [E] [F]
3. [√] [×]　　　8. [√] [×]　　　13. [A] [B] [C] [D] [E] [F]
4. [√] [×]　　　9. [√] [×]　　　14. [A] [B] [C] [D] [E] [F]
5. [√] [×]　　　10. [√] [×]　　　15. [A] [B] [C] [D] [E] [F]

16. [A] [B] [C] [D] [E] [F]　　21. [A] [B] [C]　　26. [A] [B] [C]　　31. [A] [B] [C]
17. [A] [B] [C] [D] [E] [F]　　22. [A] [B] [C]　　27. [A] [B] [C]　　32. [A] [B] [C]
18. [A] [B] [C] [D] [E] [F]　　23. [A] [B] [C]　　28. [A] [B] [C]　　33. [A] [B] [C]
19. [A] [B] [C] [D] [E] [F]　　24. [A] [B] [C]　　29. [A] [B] [C]　　34. [A] [B] [C]
20. [A] [B] [C] [D] [E] [F]　　25. [A] [B] [C]　　30. [A] [B] [C]　　35. [A] [B] [C]

| 二、阅　读 |

36. [A] [B] [C] [D] [E] [F]　　　41. [A] [B] [C] [D] [E] [F]
37. [A] [B] [C] [D] [E] [F]　　　42. [A] [B] [C] [D] [E] [F]
38. [A] [B] [C] [D] [E] [F]　　　43. [A] [B] [C] [D] [E] [F]
39. [A] [B] [C] [D] [E] [F]　　　44. [A] [B] [C] [D] [E] [F]
40. [A] [B] [C] [D] [E] [F]　　　45. [A] [B] [C] [D] [E] [F]

46. [√] [×]　　　51. [A] [B] [C] [D] [E] [F]　　　56. [A] [B] [C] [D] [E] [F]
47. [√] [×]　　　52. [A] [B] [C] [D] [E] [F]　　　57. [A] [B] [C] [D] [E] [F]
48. [√] [×]　　　53. [A] [B] [C] [D] [E] [F]　　　58. [A] [B] [C] [D] [E] [F]
49. [√] [×]　　　54. [A] [B] [C] [D] [E] [F]　　　59. [A] [B] [C] [D] [E] [F]
50. [√] [×]　　　55. [A] [B] [C] [D] [E] [F]　　　60. [A] [B] [C] [D] [E] [F]

HSK （二级） 答题卡

一、听 力

1. [√] [×]　　　6. [√] [×]　　　11. [A] [B] [C] [D] [E] [F]
2. [√] [×]　　　7. [√] [×]　　　12. [A] [B] [C] [D] [E] [F]
3. [√] [×]　　　8. [√] [×]　　　13. [A] [B] [C] [D] [E] [F]
4. [√] [×]　　　9. [√] [×]　　　14. [A] [B] [C] [D] [E] [F]
5. [√] [×]　　　10. [√] [×]　　　15. [A] [B] [C] [D] [E] [F]

16. [A] [B] [C] [D] [E] [F]　　21. [A] [B] [C]　　26. [A] [B] [C]　　31. [A] [B] [C]
17. [A] [B] [C] [D] [E] [F]　　22. [A] [B] [C]　　27. [A] [B] [C]　　32. [A] [B] [C]
18. [A] [B] [C] [D] [E] [F]　　23. [A] [B] [C]　　28. [A] [B] [C]　　33. [A] [B] [C]
19. [A] [B] [C] [D] [E] [F]　　24. [A] [B] [C]　　29. [A] [B] [C]　　34. [A] [B] [C]
20. [A] [B] [C] [D] [E] [F]　　25. [A] [B] [C]　　30. [A] [B] [C]　　35. [A] [B] [C]

二、阅 读

36. [A] [B] [C] [D] [E] [F]　　　41. [A] [B] [C] [D] [E] [F]
37. [A] [B] [C] [D] [E] [F]　　　42. [A] [B] [C] [D] [E] [F]
38. [A] [B] [C] [D] [E] [F]　　　43. [A] [B] [C] [D] [E] [F]
39. [A] [B] [C] [D] [E] [F]　　　44. [A] [B] [C] [D] [E] [F]
40. [A] [B] [C] [D] [E] [F]　　　45. [A] [B] [C] [D] [E] [F]

46. [√] [×]　　　51. [A] [B] [C] [D] [E] [F]　　　56. [A] [B] [C] [D] [E] [F]
47. [√] [×]　　　52. [A] [B] [C] [D] [E] [F]　　　57. [A] [B] [C] [D] [E] [F]
48. [√] [×]　　　53. [A] [B] [C] [D] [E] [F]　　　58. [A] [B] [C] [D] [E] [F]
49. [√] [×]　　　54. [A] [B] [C] [D] [E] [F]　　　59. [A] [B] [C] [D] [E] [F]
50. [√] [×]　　　55. [A] [B] [C] [D] [E] [F]　　　60. [A] [B] [C] [D] [E] [F]

HSK （二级） 答题卡

1. [√] [×]   6. [√] [×]   11. [A] [B] [C] [D] [E] [F]
2. [√] [×]   7. [√] [×]   12. [A] [B] [C] [D] [E] [F]
3. [√] [×]   8. [√] [×]   13. [A] [B] [C] [D] [E] [F]
4. [√] [×]   9. [√] [×]   14. [A] [B] [C] [D] [E] [F]
5. [√] [×]   10. [√] [×]   15. [A] [B] [C] [D] [E] [F]

16. [A] [B] [C] [D] [E] [F]   21. [A] [B] [C]   26. [A] [B] [C]   31. [A] [B] [C]
17. [A] [B] [C] [D] [E] [F]   22. [A] [B] [C]   27. [A] [B] [C]   32. [A] [B] [C]
18. [A] [B] [C] [D] [E] [F]   23. [A] [B] [C]   28. [A] [B] [C]   33. [A] [B] [C]
19. [A] [B] [C] [D] [E] [F]   24. [A] [B] [C]   29. [A] [B] [C]   34. [A] [B] [C]
20. [A] [B] [C] [D] [E] [F]   25. [A] [B] [C]   30. [A] [B] [C]   35. [A] [B] [C]

二、阅 读

36. [A] [B] [C] [D] [E] [F]   41. [A] [B] [C] [D] [E] [F]
37. [A] [B] [C] [D] [E] [F]   42. [A] [B] [C] [D] [E] [F]
38. [A] [B] [C] [D] [E] [F]   43. [A] [B] [C] [D] [E] [F]
39. [A] [B] [C] [D] [E] [F]   44. [A] [B] [C] [D] [E] [F]
40. [A] [B] [C] [D] [E] [F]   45. [A] [B] [C] [D] [E] [F]

46. [√] [×]   51. [A] [B] [C] [D] [E] [F]   56. [A] [B] [C] [D] [E] [F]
47. [√] [×]   52. [A] [B] [C] [D] [E] [F]   57. [A] [B] [C] [D] [E] [F]
48. [√] [×]   53. [A] [B] [C] [D] [E] [F]   58. [A] [B] [C] [D] [E] [F]
49. [√] [×]   54. [A] [B] [C] [D] [E] [F]   59. [A] [B] [C] [D] [E] [F]
50. [√] [×]   55. [A] [B] [C] [D] [E] [F]   60. [A] [B] [C] [D] [E] [F]

HSK （二级） 答题卡

一、听　力

1. [√] [×]　　6. [√] [×]　　11. [A] [B] [C] [D] [E] [F]
2. [√] [×]　　7. [√] [×]　　12. [A] [B] [C] [D] [E] [F]
3. [√] [×]　　8. [√] [×]　　13. [A] [B] [C] [D] [E] [F]
4. [√] [×]　　9. [√] [×]　　14. [A] [B] [C] [D] [E] [F]
5. [√] [×]　　10. [√] [×]　　15. [A] [B] [C] [D] [E] [F]

16. [A] [B] [C] [D] [E] [F]　　21. [A] [B] [C]　　26. [A] [B] [C]　　31. [A] [B] [C]
17. [A] [B] [C] [D] [E] [F]　　22. [A] [B] [C]　　27. [A] [B] [C]　　32. [A] [B] [C]
18. [A] [B] [C] [D] [E] [F]　　23. [A] [B] [C]　　28. [A] [B] [C]　　33. [A] [B] [C]
19. [A] [B] [C] [D] [E] [F]　　24. [A] [B] [C]　　29. [A] [B] [C]　　34. [A] [B] [C]
20. [A] [B] [C] [D] [E] [F]　　25. [A] [B] [C]　　30. [A] [B] [C]　　35. [A] [B] [C]

二、阅　读

36. [A] [B] [C] [D] [E] [F]　　41. [A] [B] [C] [D] [E] [F]
37. [A] [B] [C] [D] [E] [F]　　42. [A] [B] [C] [D] [E] [F]
38. [A] [B] [C] [D] [E] [F]　　43. [A] [B] [C] [D] [E] [F]
39. [A] [B] [C] [D] [E] [F]　　44. [A] [B] [C] [D] [E] [F]
40. [A] [B] [C] [D] [E] [F]　　45. [A] [B] [C] [D] [E] [F]

46. [√] [×]　　51. [A] [B] [C] [D] [E] [F]　　56. [A] [B] [C] [D] [E] [F]
47. [√] [×]　　52. [A] [B] [C] [D] [E] [F]　　57. [A] [B] [C] [D] [E] [F]
48. [√] [×]　　53. [A] [B] [C] [D] [E] [F]　　58. [A] [B] [C] [D] [E] [F]
49. [√] [×]　　54. [A] [B] [C] [D] [E] [F]　　59. [A] [B] [C] [D] [E] [F]
50. [√] [×]　　55. [A] [B] [C] [D] [E] [F]　　60. [A] [B] [C] [D] [E] [F]

HSK（二级）答题卡

一、听　力

1. [√] [×]　　6. [√] [×]　　11. [A] [B] [C] [D] [E] [F]
2. [√] [×]　　7. [√] [×]　　12. [A] [B] [C] [D] [E] [F]
3. [√] [×]　　8. [√] [×]　　13. [A] [B] [C] [D] [E] [F]
4. [√] [×]　　9. [√] [×]　　14. [A] [B] [C] [D] [E] [F]
5. [√] [×]　　10. [√] [×]　　15. [A] [B] [C] [D] [E] [F]

16. [A] [B] [C] [D] [E] [F]　　21. [A] [B] [C]　　26. [A] [B] [C]　　31. [A] [B] [C]
17. [A] [B] [C] [D] [E] [F]　　22. [A] [B] [C]　　27. [A] [B] [C]　　32. [A] [B] [C]
18. [A] [B] [C] [D] [E] [F]　　23. [A] [B] [C]　　28. [A] [B] [C]　　33. [A] [B] [C]
19. [A] [B] [C] [D] [E] [F]　　24. [A] [B] [C]　　29. [A] [B] [C]　　34. [A] [B] [C]
20. [A] [B] [C] [D] [E] [F]　　25. [A] [B] [C]　　30. [A] [B] [C]　　35. [A] [B] [C]

二、阅　读

36. [A] [B] [C] [D] [E] [F]　　41. [A] [B] [C] [D] [E] [F]
37. [A] [B] [C] [D] [E] [F]　　42. [A] [B] [C] [D] [E] [F]
38. [A] [B] [C] [D] [E] [F]　　43. [A] [B] [C] [D] [E] [F]
39. [A] [B] [C] [D] [E] [F]　　44. [A] [B] [C] [D] [E] [F]
40. [A] [B] [C] [D] [E] [F]　　45. [A] [B] [C] [D] [E] [F]

46. [√] [×]　　51. [A] [B] [C] [D] [E] [F]　　56. [A] [B] [C] [D] [E] [F]
47. [√] [×]　　52. [A] [B] [C] [D] [E] [F]　　57. [A] [B] [C] [D] [E] [F]
48. [√] [×]　　53. [A] [B] [C] [D] [E] [F]　　58. [A] [B] [C] [D] [E] [F]
49. [√] [×]　　54. [A] [B] [C] [D] [E] [F]　　59. [A] [B] [C] [D] [E] [F]
50. [√] [×]　　55. [A] [B] [C] [D] [E] [F]　　60. [A] [B] [C] [D] [E] [F]